KB103176

영혼의 무지개를 찾아서

영혼의 무지개를 찾아서

발 행 | 2023년 12월 28일
저 자 | 홍만식
펴낸이 | 한건희
펴낸곳 | 주식회사 부크크
출판사등록 | 2014.07.15(제2014-16호)
주 소 | 서울특별시 금천구 가산디지털1로 119 SK트윈타워 A
동 305호
전 화 | 1670-8316
이메일 | info@bookk.co.kr

ISBN | 979-11-410-6263-7

영혼의 무지개를 찾아서

영혼의 무지개를 찾아서

홍만식 지음

인간의 내면에 본질적인 삶의 가치를 두고

자신에게 타협할 수 있는 한 발짝 공간을

마련하라.

우리가 살아가면서 절벽에 부딪히는 것은

상황이 아니라 우리의 마음인 것이다."

                    - 빅터 플랭클 (VICTOR FRANKL)

CONTENTS

행복은 마음속에 있다

인생의 궁극적인 목표는 행복입니다. 플라톤이나 아리스토텔레스와 같은 고전적 체계에서도 행복(eudaemonia)은 역시 궁극의 목적이었습니다. 인간은 숙명적으로 태어나 약 80년을 살다가 자연의 섭리에 따라 하늘나라로 갑니다. 그래서 행복하게 살아야 하고, 죽음을 맞이하는 날까지 후회 없이 살았다는 신념과 존엄성이 유지될 수 있기를 희망합니다.

티베트의 영적 지도자, 달라이 라마는 인간의 삶에 대해 이렇게 말했습니다. "삶의 목표는 행복을 추구하는 것이다. 종교를 믿든 안 믿든 또는 어떤 종교를 믿든, 우리 모두는 언제나 더 나은 삶을 추구하고 있다. 따라서 우리의 삶은 근본적으로 행복을 위해 나아가고 있는 것이다. 그 행복은 각자 마음속에 있다는 것이 나의 변함없는 믿음이다."

행복에 대한 가장 인기 있는 정의는 '주관적 안녕감'입니다. 안녕이란 평안하다는 뜻으로 즐거움이라기보다는 특별한 사건이 없는 편안한 상태를 의미한다고 합니다. 여기에는 건강,

직장, 가족 등 여러 분야에서 자기 삶에 대한 만족도가 중요할 것입니다. 물론 슬프고 괴로운 사람이 인생에 만족할 리 없고, 만족감엔 기쁨과 같은 긍정적인 감정이 필요합니다.

영국 저술가이자 비평가, 존 러스킨은 "이 우주가 즐겁고 평화로운 곳인가, 슬프고 소란한 곳인가를 논하지 말라. 내 마음에 따라 이 우주는 즐거운 보금자리도 슬픔과 괴로움에 찬 구렁텅이도 될 수 있기에, 우리는 이 두 가지 중 하나를 선택할 자유가 있다."라고 말했습니다. 사실, 마음이 편안하면 초가집에 살아도 평온하고, 심성이 안정되면 나물국이 향기롭다고 합니다.

외환은행에서 정년퇴직한 후, 나는 지금 잘 살고 있는지 나 자신에게 묻고 또 물었습니다. 또한 행복과 불행은 어디에서 오는 것인가를 생각해 보았습니다. 현재의 조건이 갖춰지면 새로운 것이 생겨나고 또 없어지는 자연과 인간의 모습에서 연기(緣起)라는 삶의 이치를 발견하였습니다. 그래서 내 인생의 의미를 찾으려고 수필을 쓰기 시작했습니다. 그간 살아온 소소한 인생 경험과 느낌을 행복을 주제로 〈영혼의 무지개를 찾아서〉라는 수필집을 발간했습니다.

글을 쓰는 저에게 항상 격려와 성원을 보내준 가족, 친구, 직장 동료와 문우 여러분에게 감사드립니다.

2023년 12월
양재천이 보이는 서재에서 홍만식

나의 본적지는 송정리

택호가 길갓집인 나의 큰댁은 강원도 삼척군 북평읍(현 동해시) 송정리에 있었다. 그곳에서 400여 년간 조상 대대로 살아왔다. 송정(松亭)은 글자 그대로, 송림이 우거지고 경치 좋은 곳에 여럿 정자가 서 있는 아름다운 마을이었다.

수려한 두타산과 청옥산이 마을을 감싸고, 앞으로는 넓고 푸른 동해 바다가 시원하게 펼쳐져 있다. 화랑호와 구호(龜湖)가 있어 아늑하고, 솔숲과 푸른 바다가 한데 어우러져 한 폭의 아름다운 그림이었다. 맑은 호수가 마을을 둘러싸고 마치 호수에 떠있는 부평(개구리밥) 형상이므로 한때 솔과 호수를 뜻하는 송호(松湖)라고도 했다.

약 400여 년 전, 퇴관선비 김훈은 전망이 뛰어난 구산(龜山) 언덕에 만경대를 세우고 송정 해변의 저녁 연기를 풍요로움이라고 노래했다. 사실, 송정 마을은 호수와 비옥한 토지 덕분에 부자 마을이었다. 이 마을 옆에는 두타산과 백복령에서 흐르는 전천강이 동해 바다로 들어간다. 전천강(箭川江)이란 임진왜란 때 두타산성에서 치열한 전투가 벌어져서 화살대가 강물에 흘렀다 하여 붙여진 이름이다.

조선시대 문인, 신광수는 전천변과 송정 마을의 경치를 십

리송라야천가(十里松蘿野千家)라고 시를 지었는데 이는 전천변의 아름다움과 풍요로움에 젖어 지었다는 것을 쉽게 알 수 있다.

풍요의 상징, 전천강은 구산 북쪽 기슭에서 호수를 이뤄 구호가 생겨났고, 이 호수는 동해 바다의 입구다. 만수암(할미바위)은 구호에 비친 두타산 그림자를 멋스럽게 바라보고, 만경대는 파도치는 해변에 자리 잡은 고요한 송정을 내려다본다. 그곳에는 오곡 물결이 파도치고 파도 소리와 갈매기 울음소리는 거울같이 맑은 호수에 가득했다. 솔향기와 해당화 향기가 그윽하고 정말 아름답기로는 동해안의 으뜸이었다.

송정 마을의 동쪽에는 1973년까지 북평(송정)해수욕장이 있었다. 당시 바로 옆이 삼척공항이므로 영동지방의 주민들에게 큰 도움을 주었다. 그곳에서 김포공항까지 걸리는 시간은 약 40분에 불과했다.

태양이 작열하는 여름철, 수도권 대학생들은 청량리역에서 영동선 야간열차를 타고, 다음 날 아침 북평역에서 내려서 북평해수욕장까지 줄지어 걸어갔다. 부자들은 비행기로 김포공항에서 삼척공항으로 왔는데 해수욕장에서 피서를 화려하고 멋지게 보냈다.

북평해수욕장은 수심이 얕으며 우거진 송림과 아름다운 호수 때문에 유명한 피서지였다. 특히, 청춘 남녀들이 몰려오는 낭만의 해수욕장이었다. 나의 대학 친구들도 옛적, 그곳에서 캠핑했던 추억을 아직도 그리워한다.

초등학교 시절, 여름방학 하는 날에는 할머니가 계시는 큰 댁으로 달려갔다. 한여름 밤, 하늘에는 별이 총총 떠 있고 은빛 시냇물 같은 은하수는 은은히 흘렀다. 가끔씩 사촌 형들과 파도가 철썩거리는 비행장 활주로에 돗자리를 깔고, 밤하늘의 별을 바라보면서 이야기꽃을 피우다 잠이 들었다.

맑은 날에는 바다에서 잡은 조개로 조갯국을 끓여 먹고, 어느 날 밤에는 앞섬(지명)에서 도둑고양이처럼 살금살금 기어서 참외 서리도 했다. 바쁜 농사철엔 어른들과 함께 감자를 캐고 배추씨를 심었다. 그리고 일이 끝나자마자 전천강으로 달려가 바굴(지명)다리 밑에서 발가벗고 신나게 물놀이를 즐겼다.

나는 요즈음 슈퍼마켓에서 참외를 보면 옛적, 송정리 앞섬에서 참외 서리한 옛 추억이 떠오르고 참외밭 주인한테 슬며시 죄송한 마음도 든다. 또한 여름방학 때마다 나를 따뜻하게 보살펴주신 할머니와 큰어머니가 그리워진다. 경제적으로 어렵고 힘들게 살았던 그 시절에도 늘 미소를 지으신 모습이 아직도 눈에 선하고, 생전에 보답을 하지 못한 죄송한 마음이 남아 있다.

현재 송정 마을의 해변은 1970년대에 강원도 최대 무역항인 동해항이 건설되어 옛 모습을 거의 찾아볼 수가 없다. 하지만 나는 조상 대대로 400여 년을 살아온 내 고향, 송정리를 사랑한다.

"아, 나의 영원한 본적지 삼척군 북평읍 송정리여!"

무릉계곡 용추폭포

한여름의 매미소리

오늘은 중복中伏이다. 한낮에는 최고 기온이 무려 35도까지 올라간다는 일기예보가 있었다. 최근 전세계에서 폭염이 기승부리고 대형 화재가 발생해 인간이 환경 파괴에 따른 혹독한 대가를 치른다는 생각이 들었다.

오랜만에 직장 친구를 만나려고 지하철 도곡역을 향해 집을 나섰다. 코로나바이러스에 걸린 후 첫 외출이었다. 늘벗근린공원을 통과하여 천천히 걸어가는데 여럿 매미 주검이 눈에 띄었다. 곤충이지만 가엾다는 생각이 들어서 풀숲으로 치워주었다.

양재천 둑길을 걸어갈 때, 친구가 "매미소리가 너무 요란하네요."라고 말했다. 사실, 매미소리가 내 귀에도 거슬릴 정도로 시끄럽게 들렸다. 국민(초등)학교 시절, 매미가 떼로 울지 않고 한 마리씩 차례대로 정답게 울었다고 기억한다. 당시 어쩌다가 매미를 잡으면 무명실로 다리를 묶어 장난감처럼 손에 들고 다녔다. 그리고 심심하면 매미 배를 문질러서 억지로 울게 했던 추억이 있다. 당시 여름방학 곤충채집으로 매미가 상당히 인기 좋았다.

매미는 수컷이 특수한 발음기를 가지고 높은 소리로 울어서 잘 알려진 곤충이다. 매미가 짝짓기를 통해 나무껍질 등에 알을 낳으면, 알은 일 년 후 깨어나 땅속으로 들어간다. 그리고 매미 애벌레는 땅속에서 나무 뿌리의 수액을 섭취하며 자란다. 이렇게 약 6년을 보낸 뒤, 땅 위에 올라와 껍질을 벗고 성충으로 약 한 달 반 정도 살다가 죽는다고 한다.

왜 매미는 요란하게 울어 댈까? 문헌에 의하면 수컷이 암컷에게 구애할 때 몸통 안의 얇은 막을 떨어서 소리를 내는데, 큰 소리로 우는 매미일수록 암컷에게 인기가 좋다는 것이다. 즉 잘 우는 매미는 사람으로 비교하면 잘 생기고 인기 좋은 남성과 같다고 볼 수 있다.

친구에게 죽은 매미를 공원에서 보았다고 말하자 "암컷과 짝짓기를 하고 세상을 떠났는지 궁금하네요. 약 한 달밖에 살지 못했을 텐데."라고 차분하게 대답했다. 늘벗공원에서 죽은 매미들이 수컷인지는 알 수 없지만 그렇게 요란하게 울어대는 사실로 짐작건대 암컷에게 한 구애가 확실히 성공하기란 쉽지 않았을 것이라고 생각한다.

한국에 서식하는 매미는 주로 참매미와 말매미다. 도심에서 밤낮으로 우는 매미는 대체로 말매미고, 27도 이상 높은 기온에서 잘 운다고 한다. 요즘, 요란하게 울어 대는 매미소리는 옛적 여름철 정서를 느끼게 하던 소리와 사뭇 다르다. 아마도 수컷 매미들의 구애 경쟁이 나날이 치열해지는 현상 때문이 아닐까 싶다.

친구와 헤어지고, 집으로 돌아올 때 역시 매미소리가 요란했다. 나도 여름에 생각나는 추억의 노래, '해변으로 가요'를 매미처럼 크게 불러 보았다.

"별이 쏟아지는 해변으로 가요 (해변으로 가요)
젊음이 넘치는 해변으로 가요 (해변으로 가요)
달콤한 사랑을 속삭여줘요~ "

내가 노래를 부를 때 매미도 힘차게 노래하여 마치 누가 노래를 잘하는지 경쟁이라도 하는 듯했다. 하지만 내 실력은 내가 알고 있다. 만일 내가 매미였다면 배우자를 만나기가 어려웠을 것이다. 게다가 6년을 땅속에서 지내다가 겨우 한 달 정도 살다 죽는다고 하니 매미로 태어나지 않은 것도 천만다행이라 느꼈다

집으로 돌아오니 아내는 환한 미소을 지으면서 나를 반갑게 맞아주었다. 게다가 더위에 지친 남편의 몸보신을 위해 삼계탕을 준비했다. 아내와 함께 저녁을 먹을 때도 매미가 요란하게 울어댔다.

매미도 한평생 인간처럼 힘들게 살아가는 것 같다.

인생은 돌고 돈다

어느덧 고등학교를 졸업한 지 오십 년이 강물처럼 흘러갔다. 고등학생은 예나 지금이나 대학입시 경쟁에서 쉽게 헤어날 수 없다. 책상머리에 고진감래(苦盡甘來)를 크게 써붙이고 공부하다 힘이 들면 이 고사성어를 쳐다보며 긴장의 끈을 조여 매곤 했다. 지금은 힘들고 괴롭지만 결과는 좋을 것이라는 희망을 품고 견뎌냈던 것 같다. 이 고사성어 덕분인지 내가 희망하는 대학교에 합격해 '고진감래'는 내 인생의 좌우명이 되었다.

직장 생활을 하면서 흥진비래(興盡悲來)라는 말에도 관심이 생겨났다. 힘들게 얻어낸 즐겁고 좋은 일이라도 오래갈 수 없다는 세상 이치를 조금씩 깨달았기 때문이다.

이 말과 비슷한 개념의 고사성어도 여럿 있다. 퇴계 이황 선생의 묘비에는 '우중유락 낙중유우(憂中有樂 樂中有憂)'라는 글이 새겨져 있다. '근심 가운데 낙이 있고, 낙 가운데 근심이 있다'는 뜻으로 퇴계 선생이 생전에 직접 쓰신 글귀라 한다.

중국 역사가, 사마천이 지은 사기(史記)의 골계열전에는 다음과 같은 글이 나온다.

'전국시대 제나라 위왕이 술잔치를 벌이며 '순우곤'이란 재치와 해학이 넘치는 신하에게 이렇게 말했다. "술이란 얼마를 마시면 취하느냐?"라고 물으니 그가 대답하기를 "술이란 분위기에 따라 한 말만 마셔도 취할 수 있고, 한 섬을 마셔야 취할 수도 있습니다." 그리고 이어서 "예로부터 술이 지나치면 난리가 나고, 쾌락이 극에 달하면 슬퍼진다고 했는데, 세상일도 이와 같습니다"라고 대답했다. 이때 한 말이 '주극생란 낙극생비(酒極生亂 樂極生悲)'라고 한다. 이 간곡한 충언을 듣고 위왕은 흥에 취해 며칠씩 벌이곤 했던 술 잔치를 그만두게 되었으며, 그를 큰 자리에 중용했다고 전한다.'

고진감래란 괴로움을 참고 견디면 즐거움이 온다는 뜻이고, 홍진비래는 세상만사가 좋은 일과 나쁜 일이 차례로 일어난다는 말이다. 즉, 살아가면서 힘들다고 좌절할 필요도 없고, 권력이나 부를 잡았다고 자만하거나 겸손을 잃어서도 안 된다는 가르침이다. 사실 어떤 때에는 일이 잘 풀려서 즐거움이 와도 은근히 걱정이 된다.

'홍진비래'의 의미를 다시 한번 곰곰이 생각해 본다. 하지만 즐거움이 왔을 때, 괴로움이 올 것이라고 미리 걱정할 일은 아닌 듯하다. 즐거움과 슬픔이 돌고 돈다 할지라도 내가 노력하기에 따라, 인간의 운명은 바뀔 수도 있는 것이다.

'진인사대천명(盡人事待天命)'이라는 말처럼 예전, 학창시절과 같이 최선을 다해 살아간다면, 후회가 없는 인생을 사는 것이라고 믿는다.

낙엽과 인생

가을 바람이 불어오고 가을빛이 짙어간다. 한층 옅어진 가을 햇살이 거실 안까지 깊숙이 들어오고, 울긋불긋한 단풍이 산에서 아파트 정원까지 내려왔다. 북창으로 정원을 내려다보니 형형색색의 단풍잎이 세월의 무게를 이기지 못해 소슬바람에 날리며 떨어지고 있다. 나무는 사계절을 알고 있다. 이른 봄에는 연둣빛의 여린 새싹이 돋아나고, 늦가을에는 고운 빛깔의 단풍이 나무에서 떨어진다.

길거리에 구르는 낙엽을 밟으면 청춘 시절에 좋아했던 프랑스 시인, 레미 드 구르몽의 〈낙엽〉이란 시가 떠오른다.
"이리저리 발길에 밟힐 때면
낙엽은 외로운 영혼처럼 흐느끼고
날개소리, 여자의 옷자락 스치는 소리를 낸다"

여름철 뜨거운 햇살을 받으며 생명력이 왕성했던 푸르른 잎이 늦가을에는 단풍으로 곱게 물들고 하나둘씩 떨어진다. 낙엽을 밟으면 낙엽의 영혼이 부서지는 소리를 내고 이 세상과 영영 이별하게 된다.
저녁 무렵, 가을 서정이 느껴지는 양재천을 향해 집을 나섰다.

산책로 옆 잔디 위에 낙엽이 가련하게 누워 있고, 아직도 나무에 매달린 나뭇잎은 초조한 눈빛으로 먼저 떠나간 낙엽을 바라본다. 웬일인지 올해는 유난히 단풍이 선명하고 쓸쓸하게 보였다. 아마도 고희를 앞둔 내 처지가 낙엽과 비슷하여 그렇지 않을까 싶다.

오늘도 무심히 흐르는 양재천은 사계절을 모르는 듯하다. 가을이면 단풍이 드는 나무와는 사뭇 다르게 사계절 내내 고요히 아래로 흐른다. 하지만 양재천은 오직 바다를 향해 온갖 시련과 고난을 극복하고 소리없이 흘러갈 뿐이다.

양재천 벤치에 앉아 가을색이 짙어가는 경치를 물끄러미 바라보았다. 문득 옛 시절 슬픈 추억이 떠오르고 어느덧 한 해가 또 저물어간다는 생각에 허허로운 마음이 파도처럼 밀려왔다.

옛적, 고등학교 수학여행 때 단풍이 아름다운 설악산으로 갔었다. 친구들과 즐겁게 담소를 나누면서 육담폭포를 지나 십여 분 정도 올라가니 비룡폭포에서 내려오는 힘찬 물줄기 소리가 골짜기를 울리고, 주변의 단풍 경치와 한데 어우러져 무상무념의 경지에 이르는 것 같았다. 바로 그때 인부 두 명이 지게에 남녀 주검을 각각 지고 내려오는 모습을 보았다. 인부들에게 "무슨 일입니까?"라고 물어보았는데 젊은 남녀 한 쌍이 비룡폭포 부근에서 절벽 아래로 뛰어내렸다고 대답했다. 소설과 같은 아주 충격적인 일이라 그말을 쉽게 믿을 수가 없었다.

청춘 남녀가 떨어졌다는 곳으로 다가가자 비릿한 피냄새가 났고 붉은 단풍 빛깔의 핏자국이 그들이 남기고 떠난 마지막 흔

적이었다. 낙엽따라 저세상으로 간 처참한 청춘 남녀의 모습
은 내 뇌리에서 지워지지 않는다.

땅거미가 내려오는 양재천 둑길을 천천히 걸으며 하늘에 떠 있
는 초저녁 별을 쳐다보았다. 인간도 나이가 들면 짐작은 하되
정확히 알 수 없는 하늘나라로 떠나가야만 하는 자연의 섭리
를 새삼 깨달았다. 때가 되면 나뭇잎도, 인간도 모든 것이 땅
속으로 사그라지는 것이다. 소멸하지 않는 것이 세상 어디에
존재할 수 있을까? 하지만 자연으로 돌아가는 그 순간까지, 어
느 시인의 말처럼 죽어가는 모든 것들을 사랑하면서 나에게
주어진 길을 묵묵히 걸어갈 수밖에….

밤하늘에 높게 뜬 둥근 보름달이 오늘도 無心히 흐르는 양재
천을 밝게 비추며 빙그레 웃고 있는 듯했다.

오징어 게임 드라마를 보고

며칠 전, '오징어 게임' 드라마를 시청해 보았다.

전세계 시청자들이 이 드라마를 보고 호응하는 이유가 무엇일까? 아마 물질에 대한 인간의 끝없는 욕망과 치열한 생존 경쟁을 자본주의 현실과 유사하게 묘사했기 때문이다.

'오징어 게임'은 2021년 9월 17일 넷플릭스를 통해 방영된 대한민국의 드라마로 액션·서스펜스 장르물이다. 이 드라마는 456억 원의 상금이 걸린 의문의 서바이벌에 참가한 사람들이 최후의 승자가 되기 위해 극한의 게임에 도전하는 이야기를 담았다. 총 9부작으로 구성된 시리즈로 영화 '도가니'와 '남한산성'을 감독한 황동혁이 연출했다.

2021년 9월 공개된 이후 한국 드라마 최초로 전세계 넷플릭스 드라마 부분 1위를 달성하면서 K 콘텐츠의 역사를 새롭게 쓰고 있다. 이 드라마는 생존을 건 게임을 소재로 '데스 게임(Death Game)' 서사라는 보편성을 따르고 있으며, 사람들이 공감할 수 있는 현대인의 욕망과 좌절, 지나친 경쟁의 폐해 등 사회에 대한 비판적 메시지를 담았다.

무궁화 꽃이 피었습니다, 설탕뽑기, 구슬놀이, 줄다리기, 오징어 게임 등 지극히 한국적인 게임들이 해외 시청자들의 호기심을 자극하는 요소라는 평가를 받는다. 실직 후 경마에 빠져 사채까지 끌어다 쓴 주인공 기훈, 서울대 출신의 수재로 승승장구하는 삶을 살다가 거액의 빚을 지게 된 상호, 새터민인 새벽, 외국인 노동자 알리 등 다양한 인간 군상이 등장하는 것도 인기 요소로 꼽힌다.

게임이란 승자와 패자가 존재한다. 그런데 이 드라마는 패자가 단순히 아웃(out) 되는 것이 아니라 자기 목숨도 걸어야한다. 자본주의에서 패자가 겪는 고충을 죽음으로까지 비유한 기저에는 현대사회의 빈부 격차가 날로 커지고, 배금사상이 극에 달한 현실을 심각한 사회문제로 인식하고 있기 때문일것이다. 이 드라마는 극한 상황에 처한 인물들을 등장시켜 스토리를 전개해 나간다. 이것은 보편적인 현실이 아니나 인간의 끝없는 탐욕이 빚어낸 참담한 사회를 부각하여 현대사회를 고발하는 내용이다. 하지만, 예나 지금이나 인간이 살아가는 세상 이치는 크게 달라진 것은 없는 것 같다.

불교는 누구도 피할 수 없는 인간의 네 가지 고통을 생로병사(生老病死)라고 설한다. 게다가 사랑하는 사람과 헤어지는 애별이고(愛別離苦), 싫어하는 사람과 만나는 원증회고(怨憎會苦), 구하여도 얻지 못하는 구부득고(求不得苦), 오음(五陰)의 집착에서 생기는 오음성고(五陰盛苦)를 더하여 팔고(八苦)라고한다. 결국, 이 팔고는 인간 세계의 모든 고통을 말하는 것이다. 현대는 옛날보다 물질적으로 풍요롭고 자유와 평등이 점차 개선되고 있다. 하지만 자본주의 한계라고 지적되는 심각한 빈부격차가 문제의 발단이라고 본다. 돈은 살아가면서 필요하다. 하지만 돈이 많다고 반드시 행복한 것은 아니다. 성경 말씀에 돈이란 요긴하고 유익하지만 탐욕을 부리면 오히려 불행해지고 믿음을 해친다고 가르친다.

"기쁨은 사물함에 있지 않고 우리 마음속에 있다"라는 독일 작곡가, 바그너의 명언을 가슴에 새기고 행복하게 살아가기를 소망한다.

비누

둥글고 매끄럽고
감성을 자극하는 비누

남의 때를 씻어주고
자신은 녹아내려도
그윽한 향기를 잃지 않는다

언제나 소중한 친구,
긴 세월이 흘러도
겉과 속이 한결같고
색깔도 그대로다

늘 제자리를 지키고
점점 작아지는 비누,
쪼가리로 버려져도 아무런 말이 없다

송암 선생과 배롱나무

　고향 친구들과 가끔 서울 근교에 있는 산이나 북한강 강변길을 따라 트레킹 한다. 친구들은 직장에서 대부분 은퇴하였으며 전직은 기업체 임직원, 교사, 공무원 등으로 지금은 취미활동이나 봉사활동을 하면서 인생 2막을 보람있게 보내고 있다.

　요즘 친구들을 만나면 주로 학창 시절의 추억을 떠올리고 깔깔거리며 웃는다. 간혹, 사회적인 이슈를 진지하게 토론하고 이견이 생길 때에 격론도 벌이지만 뒤끝은 없다. 역시 친구는 오랜 친구가 좋다. 지난해 12월 초 청평에서 북한강 강변길을 따라 트레킹 했다. 바람에 흔들리는 갈대숲을 걸으며 초겨울의 정취에 흠뻑 빠져드는데, 신문기자였던 친구, 홍 박사가 배롱나무 이야기를 슬며시 꺼냈다. 모교의 교정에는 한 그루 배롱나무가 기품 있게 서 있었다고 기억한다.

　1970년대 고등학교 때의 일이다. 홍 박사 고향집은 학교에서 20여 리 떨어진 농촌 마을에 있기 때문에 중학교 시절부터 시내에서 누나들과 자취했다.

　어느 날, 친구의 부친 송암 선생은 집 정원의 배롱나무를 학교에 기증하고 싶다는 뜻을 담임 선생님께 전했는데, 선생님은 이를 교무회의 때에 안건으로 상정했다. 교장 선생님은 학부형의 순수한 요청을 거절할 수 없었는지 기념식수를 허락하셨다. 그

대신 학교 행정의 공정성과 공평성 등을 고려하여 외부에는 일절 알리지 않는다는 조건부 승락이었다.

배롱나무는 꽃이 오랫동안 피어서 백일홍나무라고도 부른다. 옛적, 선비들이 배롱나무를 좋아하였으며, 지금도 고택이나 절에 가면 쉽게 볼 수가 있다. 꽃말은 부귀 또는 헤어진 벗을 그리함이다.

송암 선생은 1917년에 일제강점기에 태어나 한학을 배우고, 평생 농사를 지으며 글을 읽으신 선비였다. 결혼 후, 39세에 아들을 낳아서 대를 이을 자식이라고 지극정성으로 키웠다. 그 아들이 바로 내 친구 홍 박사다. 홍 박사의 고향마을은 600여 년을 조상 대대로 살아온 홍 씨 집성촌으로 많은 선비가 살았다.

마을 동쪽에는 시원한 동해 바다가 시원하게 펼쳐져 있고 뒤에는 태백산맥이 둘러싸고 있다. 옆에는 솔숲이 우거지고 육백산에서 내려오는 맑은 마읍천이 유유히 흘러서 동해 바다로 들어간다. 해당화와 솔 향기가 그윽한 아름다운 농촌 마을이다.

송암 선생은 집 마당에 있는 여러 배롱나무 중에서 자태가 뛰어난 한그루를 고른 후, 이식 준비를 마쳤다. 그 이튿날, 동녘이 밝아오자 송암 선생은 배롱나무를 지게에 지고, 아들이 다니는 학교를 향하여 출발했다. 학교까지는 약 4시간을 걸어야 하는데, 게다가 높고 험한 한재(지역의 고개이름)를 넘어야만 한다. 아마 고갯마루에서는 파도가 넘실대는 푸른 동해 바다를 바라보면서 땀을 식히고 아들의 장래를 걱정하셨을 자그마한 체구의 아버지를 상상해 본다. 그때 아버님의 연세가 55세라 이마에는 땀이 흐르고 적삼은 땀으로 흠뻑 젖었을 것이다.

마침내 송암 선생은 학교에 도착하여 배롱나무를 자식과 같은 심정으로 교정에 정성껏 심으셨다. 그는 배롱나무가 아들과 함께 꿋꿋하게 잘 자라기를 바라고, 또한 자식을 바르게 키워주는 학교와 선생님에게 배롱나무로 보답하고 싶었을 것이다.

홍 박사의 말을 듣고 있던 친구들의 표정이 숙연해졌다. 우리는 한참 동안 아무 말도 하지 않았다. 그 무거운 배롱나무를 어깨에 지고 왜 4시간이나 걸어서 학교에 오셨는지 아버지의 마음을 충분히 헤아렸기 때문이다. "지난 오십 년 동안 아무에게도 이 말을 할 수가 없었네!"라고 말하는 홍 박사는 솟구치는 감정을 억지로 자제하여 목소리가 가늘게 떨렸다.

우리 모두는 배롱나무를 심으신 송암 선생의 혜안과 선비 가풍에서 흘러나오는 의연함에 감동했다. 역사적으로 어머니의 자식사랑 이야기는 끝도 없다지만 아버지의 애틋한 사랑 이야기는 그렇게 많지 않다. 다산 정약용은 유배생활을 할 때 아들에게 전답을 물려줄 수 없는 처지를 대신하여 '근(勤)'과 '검(儉)'이라는 글을 하피첩에 써서 두 아들, 학유와 학연에게 보냈다. 즉, 물질보다 고귀한 아버지의 사랑을 자식에게 전한 것이다.

친구는 등교하면 배롱나무가 늘 눈에 들어왔다. 그리고 아버지가 곁에서 격려와 용기를 주는 것처럼 느껴져 마음을 잡고 열심히 공부했다. 그 결과, 고등학교를 졸업할 때, 우등상과 교육감 표창장을 받았다. 친구는 대학교를 졸업하고 동아일보사에 신문기자로 입사했다. 책임자 시절에는 대학원을 다니면서 맹자에 관한 논문으로 공연예술학 박사학위를 받아서 대학교 특임교수로도 왕성하게 활동했다.

36년을 재직한 동아일보를 정년퇴직한 후 그 당시 의대생이었던 큰 아들과 함께 아프리카에 자원봉사활동을 다녀왔다. 또한 코이카(KOICA) 국제협력단원으로 스리랑카에서 2년간 봉사활동을 성공적으로 끝마쳤다. 그리고 다시 남미에 있는 볼리비아로 봉사 활동을 가려고 영월에 있는 코이카 연수원에서 사전교육을 마쳤지만, 코로나바이러스가 발생하여 출국하지 못하고 현재 국내에서 봉사활동을 하고 있다.

홍 박사는 두 아들을 두었는데, 첫째는 의료봉사활동으로 유명한 홍성휘 의사고 둘째는 벤처회사의 책임자로 근무한다. 온 가족이 자원봉사활동을 생활화하여 이웃 사랑을 몸소 실천하고 있다. 특히, 교사 자격이 있는 친구 부인, 문여사는 종합병원이 운영하는 병원학교에서 어린이 환자를 무료로 가르치는 등 사회봉사 경력이 무려 20년이 넘는다.

1988년 송암 선생은 82세를 일기로 유명을 달리하셨고, 홍박사는 동해 바다가 보이는 양지바른 언덕에 아버님을 정성껏 모셨다. 우리는 올여름, 송암 선생의 산소에 성묘하여 감사함을 전하고, 모교에도 들러 아버지의 사랑이 아직도 숨 쉬고 있을 배롱나무를 찾아보기로 약속했다.

다산 정약용과 하피첩

지난봄, '다산초당'을 찾아갔다. 다산초당을 향해 오솔길을 오르며 옛적 이곳을 오르내렸을 다산 선생과 그의 제자들을 떠올려보았다. 다산초당은 다산 선생이 제자를 가르치고, 함께 책을 저술했던 곳이다. 이곳에서만 10년간 긴 세월을 보냈다고 생각하니 그분의 한(恨)이 지금도 서려있는 듯했다.

다산초당

역경을 참고 이겨낼 수 있는 다산의 힘은 어디서 나왔을까? 18년의 긴 세월 동안 부인 홍 씨는 물론, 어린 자식들이 얼마나 외롭고 쓸쓸하게 나날을 보냈을까? 하는 생각이 머리를 스치고 지나갔다.

다산 선생의 본관은 나주 정 씨고 진주 목사를 지낸 아버지 정재원과 어머니 해남 윤 씨 사이에 4남 2녀 중 4남으로 경기도 광주 마현(현 남양주 서종면 능내리)에서 태어났다. 어릴 때부터 영특했다고 한다. 15세 때, 한 살 연상인 풍산 홍 씨 홍혜완과 결혼하였으며 공교롭게 1836년 회혼일에 부인보다 먼저 세상을 떠났다. 부인 홍 씨는 2년 후, 1838년에 남편이 있는 하늘나라로 갔다.

다산은 결혼 후, 힘든 과거 공부를 시작했다. 마침내 28세에 대과 2등으로 급제하여 벼슬길에 올랐고 정조의 신임과 사랑을 받게 되었다. 나랏일이 분주해 부부간의 따뜻한 정을 제대로 나누지 못했다고 한다. 그는 화성을 축조할 때 사용한 거중기를 개발하고 배다리를 설계한 인물로 실학사상을 집대성한 실학자이자 개혁자다.

천주교 신자를 탄압한 신유박해의 피해자인 다산은 귀양살이를 하기 위해 천 리 먼 길, 전라도 강진으로 떠났다. 부인과 자식을 이별하고 언제 돌아올지 기약 없이 떠나는 남편을 바라보는 부인 홍 씨는 세 살짜리 막내아들을 품에 안고 눈물을 흘렸다. 마음이 미어지는 다산은 아래의 시를 지어 미안하고 애틋한 마음을 부인에게 전했다고 한다.

산바람 불어와 가랑비 뿌리는데
서로가 가기 싫어 망설이는 듯하구나
주저하고 망설인들 무슨 소용이 있으리오
끝내 이별은 어쩔 수 없는 것을

　다산이 강진으로 떠날 때, 3살이던 막내는 다음 해에 요절하여 부인 홍 씨는 통곡했다. 이 소식을 전해 들은 다산은 솟구치는 슬픔을 참고, 두 아들에게 어머니를 정성껏 모시라고 편지를 써서 당부했다.

　다산이 강진에 도착하여, 처음 머무른 곳은 사이재라는 동문 밖 주막에 딸린 작은방이다. 그곳에서 예학 연구를 시작하고, 이후 고성사의 보은산방과 목리 이학래 집으로 전전하면서 8년 동안 연구에만 전념했다. 그러다 외가 집안, 해남 윤 씨 도움으로 1818년 귤동의 다산초당에 자리를 잡고, 1,000여 권의 서적을 읽으며 유교 경전을 본격적으로 연구했다.

　다산초당의 10년 세월과 함께 18년의 세월을 강진에서 유배생활을 하였는데, 이때 목민심서, 경세유표 등 저술의 대부분이 이루어진 것이다. 다산이 유배에서 풀려나 고향, 마현으로 돌아왔을 때가 1818년 가을이었다. 젊은 나이에 귀양을 떠나 57세에 마현에 돌아온 그의 모습은 초로의 늙은이였다. 1836년 75세 나이로 세상을 뜰 때까지 마현에서 실학사상을 집대성했다.

　강진으로 떠난 남편과 이별한지 7년이 지났을 때다. 부인

홍 씨는 남편에게 보낼 애절하고 그리움을 담은 다음의 시를
지었다.

눈서리 찬 기운에
수심만 깊어지네

등불 아래 한 많은 여인이
뒤척이며 잠 못 이루고
그대와 이별한 지 7년

서로 만날 날이
아득하기만 하구나

　부인은 이 시와 함께 시집올 때 입었던 빛바랜 다홍치마를
강진에 있는 남편에게 보냈다. 이때가 다산과 부인 홍 씨의
결혼 30주년 되는 해였다. 다산은 아내가 눈물을 흘리며 곱
게 접어 보냈을 치마를 잘라 하피첩(하피란 저녁노을 빛깔의
여자 치마를 가리키는 말)을 만들었다. 그리고 이 서첩을 두
아들, 학연과 학유에게 보냈다.
　이 서첩의 내용은 선비가 가져가야 할 마음가짐, 남에게 베
푸는 삶의 가치, 삶을 넉넉하게 하고 가난을 물리치는 방법
등 인생을 살아가는데, 꼭 필요한 철학과 인생의 지침이 되는
글이다. 하피첩에 있는 글귀는 다음과 같다.

몸 져 누운 아내가
해진 치마를 보내왔구나
천 리 먼 곳에서
애틋한 마음을 담았구려

오랜 세월에
붉은빛이 이미 바랬으니
늙은 나이에 서러운 생각마저 일어나네
재단하여 작은 수첩 만들어
아들에게 일깨워 주는
글귀를 적어 보았구나
부디 어버이 마음 제대로 헤아려
평생토록 가슴속에 새겨 두어라

그리고 2년 후 1812년, 다산은 모처럼 기쁜 소식을 접했
다. 어엿한 숙녀가 된 외동딸이 아버지의 오랜 벗, 윤서유의
아들 윤창모와 혼인했기 때문이다. 다산은 딸을 위해 부인 홍
씨가 보낸 빛바랜 다홍치마에 화조도를 그려서 딸에게 보냈
다.

흰 매화꽃 가지에 새 두 마리가 다정하게 한 방향을 바라
보고 있는 그림이다. 부부가 평생 한 곳만 바라보고 행복하게
살라는 뜻이다. 아버지의 사랑이 느껴지는 눈물겨운 선물이었
다.

다산 정약용 선생은 유배 생활에서 때로는 절망과 좌절을 느꼈다고 한다. 그렇지만 책을 쓰기 좋은 기회라 긍정적으로 생각하고 고난을 마침내 극복한 것이다. 그의 철학과 사상은 부국강병이고 저술한 책의 내용도 그의 사상을 뒷받침하고 있다. 괴로운 유배생활 중에도 부인을 극진히 사랑하고 아끼는 남편이었다. 한편 아들에게는 남겨줄 전답은 없으니 그것보다 더 중요하다고 생각하는 근(勤)과 검(儉), 두 글자를 전답 대신 주겠노라고 말한 스승과 같은 아버지였고, 딸에게는 물건을 대신하여 사랑과 정이 담긴 그림을 보내고 결혼을 축하해 주는 자상한 아버지였다.

젊은 나이에 18년의 깊은 밤을 홀로 지새우며 지아비를 그리워했을 부인 홍 씨를 생각하면 마음이 애틋하다. 얼마나 외롭고 그리움이 사무쳤으면 빛바랜 다홍치마를 보내 본인의 사랑하는 마음을 확인시키고, 잊지 말아 달라는 당부를 했을까! 마음이 애잔하다.

다산은 목민심서 서문에 나라가 털끝 하나 병들지 않은 것이 없다고 말했다. 그 병을 지금 당장 고치고 바꾸지 않으면 반드시 나라가 망할 것이라고 경고한 것이다. 하지만 아무도 이 말에 관심을 두지 않았다. 1836년 다산이 눈을 감고 74년이 지난 1910년에 결국 나라가 망했다.

다산은 백성을 사랑하는 근본은 절약이고 공직자의 기본은 깨끗한 마음이라고 했다. 다산이 세상을 떠난 지 약 200년의 세월이 흘렀다. 당시 천주교 신자를 박해한 역사를 생각하면 안타깝기만 하다. 지금은 선거철이 되면 위정자들이 천주교 지도자들을 찾아가 허리를 굽히고 인사하는 모습을 볼 때 격세지감을 느낀다. 신유박해로 처형된 100여 명의 신자와 유배당한 400여 명의 억울한 영혼은 누가 위로해 주어야 하는지… 치유될 수 없는 슬픈 역사다.

현재 한국의 정치, 사회가 매우 혼란스럽다. 위정자들은 국가의 미래를 볼 수 있는 혜안으로 국민을 잘 섬겨야 하고 또한 국민도 늘 깨어 있어야만 한다. 그렇지 않으면 국가가 망할 수 있다는 사실은 이미 역사가 입증해 주었다. 우리가 후손에게 물려줄 유산은 다산 선생과 같이 '근(勤)'과 '검(儉)'이란 정신적인 가르침이 물질보다도 더욱 소중하다고 생각한다.

나는 꿈이 있어요

　'나는 꿈이 있어요. / 어떤 일이든 극복할 수 있게 해주는 노래가 있지요. / 동화 속의 경이로움을 이해한다면 비록 실패할지라도 / 미래를 향해 나아갈 수 있어요.'

　전설적인 스웨덴의 그룹사운드 ABBA가 부른 'I have a dream'의 가사다. 나는 젊은 시절부터 이 노래를 좋아하고 지금도 조용한 시간에 가끔 듣는다. 청아한 목소리와 멜로디가 감미롭게 느껴지며, 노래 가사가 성경말씀과 비슷해 우리에게 꿈과 희망을 준다.

　꿈이란 무엇인가? 꿈은 잠자는 동안 깨어 있을 때와 마찬가지로 여러 가지 사물을 보고 듣는 정신 현상을 말한다. 한편, 실현하고 싶은 희망이나 이상을 꿈이라고 하는데 실현될 가능성이 아주 작거나 전혀 없는 헛된 기대나 생각을 뜻하기도 한다. 일반적으로 시나 노래에서 묘사하는 꿈이란 인간의 희망이나 욕망을 나타내는 의미로 쓰이고 있다.

　중국 송나라 도가(道家)의 사상가, 장자(BC 369 ~ BC 289년 경)의 호접몽이란 꿈 이야기가 전한다. 장자의 '제물편'에 있는 꿈 이야기는 다음과 같다.

'어느 날, 장자는 제자를 불러 이런 말을 들려주었다. "내가 지난밤 꿈에 나비가 되었다. 날개를 펄럭이며 꽃 사이를 즐겁게 날아다녔는데, 너무 기분이 좋아서 내가 나인지도 몰랐다. 그러다 꿈에서 깨어나니 나는 나비가 아니고 내가 아닌가? 그래서 생각하기를 아까 꿈에서 나비가 되었을 때 내가 나인지 몰랐는데 꿈에서 깨어보니 분명 나였던 것이다. 그렇다면 지금의 나는 진정한 나인가? 아니면 나비가 꿈에서 내가 된 것인가? 내가 나비가 되는 꿈을 꾼 것인가? 나비가 내가 되는 꿈을 꾸고 있는 것인가?'

알쏭달쏭한 스승의 이야기를 듣고서 제자는 이렇게 말했다. "스승님의 이야기는 실로 그럴듯하지만 너무나 거창하고 황당하여 현실세계에서는 쓸모가 없습니다." 그래서 장자가 말하기를 "너는 쓸모 있음과 없음을 구분하는구나. 그러면 내가 서 있는 땅을 한 번 내려다보아라. 너에게 쓸모 있는 땅은 지금 네 발이 딛고 서 있는 발바닥 크기만큼의 땅이다. 그것을 제외한 나머지 땅은 너에게 쓸모가 없다. 그러나 만약 내가 딛고 선 그 부분을 뺀 나머지 땅을 없애버린다면 과연 내가 얼마나 오랫동안 그 작은 땅 위에서 서 있을 수 있겠느냐?"

제자가 아무 말도 못 하고 발끝만 내려다보고 있자 장자는 힘주어 말했다. "너에게 정말 필요한 땅은 네가 디디고 있는 그 땅이 아니라 너를 떠받쳐주고 있는, 바로 내가 쓸모없다고 여기는 나머지 부분이다."

장자는 장자와 나비가 별개인 것이 확실하지만 그 구별이 애매한 것은 사물이 변화하기 때문이라고 한다. 꿈인지 현실인지에 대한 구분의 무의미함은 더 나아가 크고 작음, 아름답고 추함, 선하고 악함, 옳고 그름을 구분하려는 욕망 역시 덧없는 것일 뿐이라는 인식으로까지 나아간다.

나는 지금까지 무슨 꿈을 꾸며 살아왔는지, 지금은 어떤 꿈을 갖고 있는지 생각해 볼 때가 있다. 초등학교 시절, 김찬삼 교수의 세계 여행기를 읽으면서 전세계를 일주하는 꿈을 꿨고 대학교에 다닐 때, 세계적 경제학자인 사무엘슨과 같은 저명한 교수가 되는 꿈을 꾸었다. 하지만 이 꿈은 모두 이루어지지 않았으며 오로지 꿈으로만 끝나버렸다.

요즘에도 잠을 잘 때 수시로 꿈을 꾼다. 이 꿈의 내용은 현실세계를 초월한 꿈으로 장자의 호접몽과 같이 황당하기도 하고 가끔은 흉몽일 때도 있다. 아마도 젊은 시절에 겪었던 정신적 충격이 무의식 상태로 꿈에 왜곡되게 나타나는 것이라고 생각한다. 오스트리아 정신분석학자, 지그문트 프로이트는 꿈은 무의식에 이르는 왕도라고 했다.

인생의 비극은 꿈을 실현하지 못하는 데 있는 것이 아니라 실현할 꿈이 없는 것이 아닐까 싶다.

춘래불사춘

오늘은 눈이 녹아서 비가 된다는 우수다. '우수 경칩에는 대동강 물도 풀린다.'는 속담이 있듯이 우수가 되면 봄기운이 돌고 싹이 트기 시작한다.

직장 친구가 '春來不似春'이라고 쓴 서예작품을 사진으로 보내왔다. 매년 이맘쯤 이 시구를 자주 접하지만 유독 올해는 무슨 연유인지 예전보다 훨씬 춥게 느껴진다. 아마도 혼탁한 정치 때문에 그런가 하는 생각이 든다.

춘래불사춘(春來不似春)은 중국 왕소군을 두고 지은 시에 있는 글귀다. 그녀는 절세 미인이었으나 흉노와의 화친 정책에 의해 흉노왕에게 시집을 가게 된 불운한 여자였다. 그 여자를 두고 지은 당나라 시인 동방규의 시에 이러한 구절이 있다. "이 땅에 꽃과 풀이 없으니 봄이 와도 봄 같지는 않구나 胡地無花草 春來不似春(호지무화초 춘래불사춘)."

오늘 아침, 양재천으로 산책을 갔는데, 요란한 모터 소리가 들렸다. 어린이 학습체험장인 논에 모터로 양재천 물을 대고, 농사 준비를 하고 있었다. 산책로를 걸어가면서 둑길을 유심히 살펴보니 몸집이 아주 작은 봄까치꽃이 양지바른 언덕에 피었다. 오랜 세월에 걸쳐서 양재천을 관찰해 보니, 새봄에는 봄까치꽃이 가장 먼저 핀다. 그다음에는 목련, 개나리, 벚꽃과 제비꽃이 피어난다. 이토록 몸집이 아주 작은 봄까치꽃도 새봄이 오는 것을 알고 있다. 인생은 불확실하지만 자연의 법칙은 늘 확실하다고 느꼈다.

까치 부부가 삭정이를 입에 물고 새둥지를 짓는 모습을 바라보니 봄이 오고 있다는 확신이 들었다. 하지만 양재천에 서 있는 벌거벗은 나목들이 왠지 쓸쓸하게 보였다. 보이는 것이 전부가 아니라는 말을 떠올리고 벚꽃과 개나리꽃이 활짝 핀 모습을 머릿속으로 그려보았다.

며칠 전, 광교 신도시를 다녀왔다. 1980년대, 미국으로 이민 간 대학 동창이 한국에서 5년쯤 살아볼 계획으로 올해 초에 귀국했다. 그래서 광교에 사는 한 친구가 이 친구와 함께 동창 몇을 함께 초대한 것이다.

미국 텍사스주 휴스턴에서 살다 온 친구가 고국으로 돌아온 소감을 이렇게 말했다. "한국이 이렇게 선진국으로 발전하고 전국이 일일생활권이라 바다와 산을 찾아 좋은 경치를 감상할 수 있어 정말로 좋습니다."

현재 친구가 사는 곳이 여의도로, 옛적 그 넓고 삭막했던 아스팔트 광장이 아름다운 공원으로 변신해 요즘 그곳을 산책하며 행복한 시간을 보낸다고 한다. 2월 초에는 교외로 나가, 커피 향이 피어나는 카페에서 눈 내린 경치를 감상하고 즐거운 시간을 보냈다고 자랑을 했다. 하지만 다른 친구들은 당연하다고 생각하는지 덤덤한 표정으로 대수롭지 않게 여기는 것 같았다.

나는 계층간 갈등이 심각한 현재의 한국사회가 안타깝게 여겨지고 내로남불식의 정치가 피곤하다고 느낀다. 길거리에 붙어있는 혼탁한 플래카드를 쳐다보면 '내 탓'은 하지 않고 '네 탓'만 하는 정치인들의 행태가 아주 실망스럽다. 우리 선배들이 피땀으로 쌓아 올린 공든 탑이 언제까지 견딜 수 있을까? 하는 절망감도 든다. 정치 문제는 모두가 협치로 풀어야 할 텐데, 집단이기주의에 빠진 이 사회에서 젊은 세대들이 무엇을 배울 수 있을지….

오늘은 양재천에서 봄까치 꽃을 발견하고 봄이 오고 있다는 것을 느꼈다. "꽃이 피면 알 것이다!"라는 힌디어 격언이 있다. 진정한 인내는 앞을 내다볼 줄 알고 살아가는 것이다. 소나기를 보고 무지개가 뜬다는 것을 알고, 칠흙 같은 어둠을 보면 밝은 해가 곧 떠오른다는 것을 깨달아야 할 것이다.

내년 봄에는 춘래불사춘(春來春似春)이 아니라 춘래사춘(春來似春)이 느껴지는 희망찬 봄이 올 것으로 믿는다.

잠들지 않는 목어

십여 년 만에 신라의 천년 고도, 경주를 다시 찾았다.

KTX 신경주역에서 경주 시내 투어 버스를 타고 토함산에 있는 석굴암으로 향했다. 토함산은 안개와 구름을 토하고 머금은 산이라고 해 붙여진 이름인데 오늘도 짙은 안개가 깔리고 봄비가 내렸다 그쳤다를 반복했다.

신라인의 찬란한 금자탑, 석굴암을 관람하고, 불국사로 갔다. 불국사는 석가탑, 다보탑, 아미타불 등 7개 국보가 있는 국내 4대 사찰이다. 1960년대 중학교 수학여행 때, 불국사의 백운교에서 단체 기념사진을 찍었던 추억이 아련히 떠올랐다.

불국사를 구경하고 절 입구로 나올 때 누각에 매달린 목어(木魚)가 눈을 크게 뜨고 나를 쳐다보는 것 같았다. 목어의 몸은 물고기고 머리는 용의 모습이다. 목어는 불교에서 의식을 치를 때, 사용하는 법구(法具) 중 하나다. 중국에서 유래된 이 목어는 물고기의 배 부분을 비워서 나무 막대기로 고깃배의 양쪽 벽을 쳐. 소리를 내게 한다. 물고기 모양을 취한 이유는 다음과 같은 유래가 전한다.

'백장청규(중국 선원의 규칙을 서술한 사찰 규범서)'에 의하면 물고기는 언제나 눈을 뜨고 깨어 있어서 그 형체를 나무에 조각하여 수행자의 잠을 쫓았다고 한다. 현재 사찰은 새벽 예불과 저녁예불 또는 큰 행사가 있을 때 범종 등과 함께 목 어를 치게 된다. 이는 물속에 사는 중생들을 제도(濟度)한다 는 상징적인 의미를 포함하는 것이라고 한다.

불교는 인간이 살아가면서 업보를 쌓는다고 설한다. 업보란 선악의 행업으로 말미암은 과보를 의미한다. 인간은 누구나 오욕칠정에 시달리고 갈등과 번민을 겪으면서 하루하루를 살 아간다. 그래서 부처님은 우리에게 자비를 일러주셨고 중생은 수행하여 번뇌에서 벗어나 해탈하라고 가르쳤다.

하지만 이 세상은 그렇게 녹록하지 않다. 최근 빈부 격차의 심화로 행복지수의 하락, 휘귀한 질병의 증가, 집단이나 국가간 다툼과 전쟁은 종교가 쉽게 해결할 수 없는 문제라고 인식된다. 이런 현실을 곰곰이 생각해 보면 속세는 본래 공평하지 않다는 생각이 들기도 한다. 그래서 속세는 공평하지 않더라도, 내세는 반드시 공평할 것이라고 믿는다.

저녁 무렵, 시내 투어를 끝내고 숙소로 돌아왔다. 오늘 하루는 경주의 유적지 불국사, 석굴암, 무열왕릉, 분황사탑 등을 둘러보고 신라의 찬란한 문화를 체험했다. 인간도 불국사에 매달려 있는 목어처럼 늘 깨어 있어야 죄를 짓지 않고, 좋은 업보를 쌓아 극락으로 갈 수 있다는 교리도 깨달았다.

목어는 오늘밤도 잠들지 않는다고 생각하니, 나도 밤이 깊도록 잠이 오지 않았다.

변 화백과 마차푸차레

휴대폰 벨이 울렸다. "청옥 지금 댁에 있어요?" 변 화백의 목소리다. 이어서 "한 시간 후에 청옥 집 근처 지하철역에서 만나요."라고 말했다. 변 화백은 입행동기 모임의 회장이자 화가이다. 속사정을 모르는 사람은 화백이라 하면 화려한 백수쯤으로 알고 있다. 그는 개인 전시회는 물론 환경미술대전 작품 공모에서 여러 번 수상한 경력이 있다.

약속 시간이 되자 변 화백은 그림 액자를 들고 나타났다. 변 화백이 들고 온 그림은 히말라야 마차푸차레산을 그린 유화로 2007년에 그렸다. 사진으로는 이미 본 적이 있는 그림이다. 그는 히말라야에 가보고 싶었지만 바쁜 생활 탓에 가보지 못하고, 대신 동료가 찍은 히말라야 사진을 보고 본인이 그렸다고 한다.

나는 2003년, 직장 동료들과 히말라야 안나푸르나를 트레킹할 때 마차푸차레 베이스캠프에서 하룻밤을 보낸 적이 있다. 네팔을 다녀온 지 17년이 지난 작년에 히말라야 여행기를 썼다. 10일 동안 네팔 여러 곳을 다녀보았는데, 마차푸차레산이 가장 인상적이고 아직도 기억이 생생하다. 친구의 그림은 사진과 거의 구별이 될 수 없을 만큼 정교하게 잘 그렸다고 생각한다.

마차푸차레산은 둘로 갈라져 있는 봉우리 모습이 물고기의 꼬리 모양이다. 그래서 네팔어로 '물고기 꼬리'라는 뜻인데, 영어 'Fish Tail'로도 잘 알려졌다. 이 산은 히말라야 유일의 미등정 산으로도 유명하다. 1957년 지미 로보트가 이끄는 영국 등반대가 정상 50m 앞까지는 등반하였지만 지금도 네팔 현지 주민들이 이 산을 신성시하여 등산을 금지하고 있다.

변 화백은 내가 〈창작수필〉 신인상 공모에 당선되었다는 소식을 듣고 축하하기 위해 찾아왔다. 방금 표구점에서 액자를 만들었는지 그림이 포장되어 있고 나무 냄새가 났다. 예상하지 못한 일이라 당황스러웠지만 고맙고 기분이 좋았다.

마차푸차레산

1980년, 변 화백은 대학을 졸업한 후 외환은행에 입행했다. 그 당시 외환은행은 대기업과 무역업체를 지원 육성하고 우리나라의 경제 발전에 큰 역할을 담당한 국책은행이었다. 직원들은 대체로 국외근무를 희망하였는데, 미국, 일본, 유럽을 선호했다. 지금의 선진국 수준인 한국을 생각하면 상상이 가지 않을 수도 있다.

변 화백은 일어에 능통해 대리 시절, 본인의 지망에 따라 1987년에 오사카지점으로 발령이 났다. 오사카 지점에서 3년 동안 무사히 근무를 마친 후, 본점 연수원에서 교수 등을 지내며 몇 년을 보냈다. 과장 시절에도 역시 동경지점에서 근무했다.

어느 날, 변 화백은 그림 전시회에서 호박이 돌담에 놓여 있는 풍경화를 보고 깊은 감동을 받았다. 이를 계기로 그림을 그리기 시작하였으며 마라톤도 열심히 했다. 그가 그린 그림들이 하나둘씩 쌓여갔고 그중에는 마라톤 하는 자신의 모습을 담은 그림도 있다. 자신이 그림에 소질이 있다는 것을 발견한 변 화백은 하루하루가 무척 행복했다고 한다.

2000년, 동부본부에 소속된 한 지점장으로 발령을 받았다. 당시 은행원이 바라는 직장 생활의 꽃은 지점장이었다. 대출 수요가 지금보다는 많았던 그 시절에는 영업을 하는데, 큰 애로는 없었다. 변 화백은 순탄한 지점장 생활을 하면서 퇴직 후에 살아갈 계획을 마음속으로 그렸다. 휴일에는 부인과 함께 경기도와 강원도 일대를 차를 몰고, 농사짓기와 전원생활에 적당한 땅을 찾으려고 부지런히 돌아다녔다.

마침내, 춘천시 강촌에 있는 적당한 크기의 임야와 밭을

2001년 구입하여 은퇴 후 삶의 터전을 미리 마련했다. 그곳은 강촌 기차역에서 춘천 방향으로 약 15분을 차로 달리면 산골짜기 동네에 여남은 채 농가주택이 있는 평화롭고 풍광이 좋은 곳이다.

그는 직장 생활을 하면서도 좋아하는 그림을 꾸준히 그리고, 주변 사람들은 그림이 너무 멋지다고 칭찬했다. 변 화백은 조선일보사가 주최하는 개인 작품전에 자신의 작품을 출품해 처음 전시회를 열었다. 변 화백의 그림은 자연환경을 소재로 한 작품이 많았는데, 대한민국 환경미술대전 작품에 두 번 입상했다. 한편, 2002년에는 '춘천 마라톤 대회'를 비롯, '전주 군산 벚꽃 마라톤 대회' 등 각종 마라톤 대회에 참가하여 풀코스를 완주했다.

2005년, 강촌에 구입한 산골짜기 땅에 그동안 꿈꾸던 아담한 2층 농가 주택을 지었다. 전기가 들어오지 않아 조금 아쉽기도 했지만 깊은 산속에 자신만의 낙원이 생겼다는 기분이 들고, 아파트의 화실을 이 농가주택으로 옮겼다. 주말이면 이곳을 찾아서 나무를 심고 주변에 버려진 돌로 꿈의 정원을 만들기 시작했다. 그리고 밭에는 오미자 농장을 만들기로 계획을 세웠다.

바쁜 직장 생활을 하면서도 마을 행사나 모임에 빠지지 않고 기념품과 약간의 후원금을 수시로 전달했다. 동네 주민들은 대체로 변 화백을 좋아했고 농사에 필요한 정보를 가르쳐 주었으며 따뜻하게 이웃으로 맞아주었다. 그러나 까탈스럽게

구는 주민도 있었지만 열린 마음으로 이해하고 넘어갈 수밖에 없었다.

2009년에 30년을 다니던 은행을 정년퇴직했다. 미리 예측한 인생행로라 퇴직을 담담하게 받아들이고 계획했던 자신의 오미자 농장을 본격적으로 추진했다.

먼저, 오미자 농사로 유명한 문경에서 어린 오미자 묘목을 구입하여 자식과 같은 마음으로 정성껏 심고 비닐하우스도 힘들게 지었다. 그리고 진돗개 두 마리를 길렀는데, 족제비와 멧돼지 침범을 막아주는 든든한 친구다. 한편 성남 모란시장에서 덩치가 작고 예쁜 닭을 여러 마리 구입해 강촌집에서 길렀다. 그리고 얼마 후 닭들이 신기하게 달걀을 낳아 처음으로 농부의 기쁨을 맛보았다. 오미자도 몇 년이 지나자 열매를 맺었다. 그래서 입행 동기를 강촌으로 초대하여 정원에서 바비큐 파티를 열었다.

변 화백은 서울과 강촌집을 오가며 바쁘게 생활하였으며 농장 주인이 되었다는 것이 행복하다고 느꼈다. 예쁜 닭들은 더 많은 알을 낳았고 서울에서 모임이 있을 때, 달걀과 텃밭에서 직접 재배한 상추, 고추, 쑥갓, 방울토마토 등을 동료들에게 나눠주었다. 겨울에는 개와 닭에게 물을 주기 위해 농장을 자주 비울 수가 없어, 농장에 머무르는 시간이 많았는데 그 시간을 활용하여 색소폰을 배웠다.

오미자 농사를 지은 지 몇 년이 지난 2015년, 꿈에 그리던 오미자를 대량으로 수확했다. 변 화백은 이 오미자를 상품화

해 그 대금의 일부는 불우이웃 돕기 등에 기부했다. 변 화백의 아내와 자식들도 주말이면 강촌의 오미자 농장에 수시로 방문하여 상추와 고추 무와 배추 등을 재배하고 가끔 바비큐 파티도 하면서 농사일과 전원생활을 행복하게 보냈다. 그동안 학수고대하던 전기가 집에 들어오게 되자 그간 불편했던 생활이 크게 개선되었다.

어느덧, 강촌의 땅을 구입한 지 20년의 세월이 강물처럼 흘러갔다. 이제는 오미자 농사가 자리잡고 매년 가을이면 예쁘고 빨간 열매를 풍성하게 맺는다. 비옥해진 땅에서 농사를 짓고 싱싱한 야채와 오이, 토마토 등을 수확한다. 간혹 시간이 날 때 그림을 그리고 고요한 밤에는 그간 익혔던 색소폰으로 멋진 연주를 하면서 행복감을 느낀다. 게다가 서울에서 열리는 각종 모임에도 빠지지 않고 참석하여 그가 직접 농사지은 야채 등을 동료들에게 선물로 나누어 주는 인기 좋은 농부가 되었다. 가끔 농장에서 벌어지는 재미있는 이야기를 동료들에게 들려주면 모두가 귀를 쫑긋하고 흥미롭게 듣는다.

누구나 나이가 들면 직장에서 은퇴하고 노후생활을 집에서 보내야 한다. 인생 2막을 준비하는 사람은 변 화백의 생활 자세와 그 정신을 배울 필요가 있다는 생각한다. 책에서는 성현이나 철학자들의 말씀에서 지혜를 얻을 수 있지만 현실 속에서는 행복하게 살아가는 선배나 동료들의 경험과 산지식을 배우는 것도 큰 도움이 된다는 것을 깨달았다.

언제나 밝고 합리적이며, 부지런히 일하면서 살아가는 변화백을 생각하면 하루 일하지 않으면 하루 먹지 말라는 불교 선종(禪宗)의 핵심 사상을 실천하는 구도자(求道者)라는 생각이 들 때도 있다. 공기 맑고 경치 좋은 곳에서 그림을 그리고 색소폰을 불며 생활하는 것이 부러운 것이 아니라 만족하며 기쁨을 느끼는 그의 행복한 삶이 부러운 것이다.

행복이란 일상생활에서 충분히 느끼는 기쁨과 즐거움이라고 정의해 볼 때 변 화백은 행복한 삶을 살고 있다고 본다. 하지만 그는 자랑할 것이 없다고 늘 겸손하게 말한다. 다만, 그의 어릴 적 꿈은 목장 주인이 되는 것인데, 강촌의 산골짜기에서 20년을 노력한 결과 현재의 오미자 농장과 아름다운 정원이 생겼고, 농장과 임야에 심은 수 천여 그루의 나무가 숲으로 무성해졌다는 사실이 만족스럽다고 한다. 이웃과 늘 소통하며 농사를 짓고 행복하게 살아가는 변 화백에게 존경의 마음을 보낸다.

지금 내 서재에는 수필 등단 축하 선물로 받은 히말라야 마차푸차레산 그림이 기품있게 걸려 있다. 나는 이 그림을 보면 외환은행 동료들과 히말라야에서 트레킹 했던 옛 추억이 떠오르고 네팔의 전통민요, 〈레삼 삐리리〉 노랫소리가 귓가에 들리는 듯하다. 또한 피곤한 하루의 농사일을 끝마치고 색소폰으로 아일랜드 포크송, 〈Danny Boy〉를 연주하는 변 화백의 멋진 모습도 눈에 선하다.

앞으로도 변 화백이 가족과 함께 늘 건강하고 행복하게 잘 살아가기를 진심으로 기원한다.

꿈은 이루어 진다

"당신은 늘 꿈꿀 수 있고, 때로는 그 꿈이 이루어지기도 한다."

길거리 공연으로 유명해진 '마틴 허켄스'가 그의 홈페이지에 쓴 글귀다. 마틴 허켄스는 2010년 네덜란드 오디션 프로그램, Holland's Got Talent에서 우승을 차지했다. 오페라 가수가 꿈이었는데 가난으로 그 꿈을 접고 23살부터 32년간 제빵사 생활을 하다가 실직하여 좌절에 빠졌다. 그래서 딸이 아버지 몰래 오디션 프로그램에 대신 지원하여, 하켄스는 오페라 아리아 '공주는 잠 못 이루고'를 부르고 우승을 한 것이다.

그해 크리스마스이브, 네덜란드 소도시 마스트리흐트 광장에서 그가 'You Raise Me Up'을 부른 장면을 한 지역 방송이 찍어 유튜브에 올렸다. 이것이 세계적으로 폭발적인 인기를 불러일으켜 일약 스타가 되었다. 욕심 없는 음색과 맑고 깊은 목소리가 사람들의 가슴에 와닿고 큰 울림을 주었다. 크리스마스의 거룩한 분위기는 이 노래의 은혜로운 선율과도 잘 어울렸다. 그러나 우리에게 큰 울림을 준 것은 그의 인생 이력 때문이라고 한다.

이 노래 가사는 '내가 힘들고 지쳤을 때, 당신이 일으켜 주었습니다. 그 덕분에 언덕 위에 우뚝 설 수 있었고, 폭풍 치는 바다를 건널 수 있었습니다.'라는 내용으로 성경과 비슷한 말씀이다. 가수의 꿈을 접지 않고 길거리에서 노래를 부르며 실직의 서러움을 달랬던 그의 용기에 많은 사람들이 찬사를 보냈다.

그는 마침내 57세에 꿈을 이뤘다. 몇 해 전, 대만에 지진이 났을 때, 마틴 허켄스가 실망에 차있는 사람들을 위로하며 그곳에서 노래를 불렀는데, 많은 관객들이 눈물을 흘리며 감격했다고 한다. 오늘도 우리 주위에는 실의와 좌절로 아픔을 겪는 이웃들이 많다. 직장을 구하지 못해 방황하는 청년들, 경제 위기로 실직한 중년의 가장들, 재난을 당해 실의에 찬 이웃들, 모두가 하루하루를 힘들게 살아가고 있다.

나는 조용한 밤, 양재천 공원에서 이 노래를 들으면 인간을 구원한 하느님과 나를 길러주신 부모님이 생각나고 나의 인생 역정에서 용기와 힘을 주었던 여러분도 그리워진다. 어렵고 힘든 사람들도 이 노래를 들으면서 위안을 받고 희망을 가져본다고 한다. 유튜브 댓글에는 이 노래를 듣고 해고의 서러운 마음을 달랬다는 실직자도 있고, 암으로 겪는 고통을 이겨냈다는 환자도 있다.

독일의 철학자, 칸트는 첫째 할 일이 있고, 둘째 사랑하는 사람이 있고, 셋째 꿈이 있는 것이 행복의 조건이라고 말했다.

추억의 히말라야를 걷는다

깊은 밤, 애절한 노랫가락이 히말라야 계곡에 울려 퍼지고 한바탕 춤판이 벌어졌다. 북과 피리 소리에 맞춰 히말라야 산골 처녀가 날렵한 동작으로 춤을 추고, 마을 주민들이 다 함께 네팔의 전통 민요, '레삼 삐리리'를 합창했다.

2003년 11월, 외환은행 동료들과 함께 네팔에 다녀왔다. 10일 동안 네팔의 수도, 카트만두와 휴양 도시인 포카라를 비롯하여 여러 유적지를 둘러보았으며, 안나푸르나 베이스캠프(ABC)를 트레킹했다. 세월이 흘렀지만 히말라야에서의 감격은 잊을 수 없고, 지금도 그때의 추억이 생생하게 떠오른다.

네팔 하면 가장 먼저 떠오르는 것이 히말라야산맥이다. 그곳은 신과 인간이 공존하는 신비의 땅으로 총 길이 2,400km의 히말라야는 세계의 지붕으로 일컬어진다. 산스크리트어 눈(snow)을 뜻하는 '히마'와 거처(dwelling)를 뜻하는 '알라야', 두 낱말이 결합된 복합어로 눈의 거처, 즉 만년설의 집을 의미한다. 히말라야산맥에는 해발 8,000m 넘는 고봉이 여럿 있다. 네팔은 세계 10대 최고봉 가운데 여덟 개를 보유한 국가로 지형이 험악하기로 유명하다. 종교는 힌두교(87%), 불교(8%), 이슬람교(4%) 등의 분포를 보인다.

방콕에서 타이항공을 타고 몇 시간이 지나자 카트만두 시내가 멀리 내려다보였다. 도시는 잿빛이고 시커먼 매연으로 자욱하였다. 상상했던 것과 사뭇 다른 모습에 다소 실망스러웠다. 카트만두 국제공항에 도착하니 현지 가이드 '사카'가 행운을 축원한다는 흰 스카프를 목에 걸어 주었다. 이 스카프는 카타(Khata)라고 하는데 네팔 속에 있는 티베트 문화다.

　포카라로 향하는 작고 낡은 프로펠러 경비행기에 탑승했다. 비행기에서 창밖을 바라보니 말로만 듣던 눈 덮인 히말라야의 모습이 아득하게 나타났다.

　포카라에 도착하여 시내 호텔에 투숙했다. 경제적으로 세계 최하위권 나라인 네팔에 이토록 화려한 호텔이 있다니 놀랍고 신기했다. 이 호텔은 사원 모양으로 설계되었으며 시설도 최신식이었다.

　다음날 아침, 전세버스로 트레킹 출발지, 나야폴로 향했다. 네팔 사람들은 만날 때마다 두 손을 합장하고 "나마스테!"라고 소리 내어 인사한다. 아침, 저녁 구분 없이 하루 인사가 똑같다. 이 말은 산스크리트어로 "안녕하세요!"라는 뜻인데 합장하고 허리를 낮추는 모습이 경건하게 보였다.

　버스는 꼬불꼬불한 산길을 달리고 네팔의 전통 민요 '레삼 삐리리'가 스피커에서 울려퍼졌다. 현지 가이드와 포터들은 흥이 났는지 모두가 노래를 따라 불렀다. 이 노래는 사랑을 고백하는 네팔의 전통 민요로 가사는 다음과 같다.

바람결에 흔들리는
비단 같은 내 마음
그대를 향한 내 마음은
감출 수 없구나

사랑스러운 그대에게
내 마음을 전해 주고 싶네
한 발 두 발 그대 곁으로
더 가까이 가고 싶네

　트레킹 시발점인 나야폴에 도착했다. 포터들은 우리가 각자
가지고 온 약 20kg 정도의 배낭 두 개를 하나로 묶어서 짊
어졌다. 우리는 작은 배낭을 등에 메고 산길을 따라 오르기
시작했다.

　정오쯤 점심 식사를 마치고, 차를 마실 때, 한 스님이 다가
와 마니차를 돌리면서 불경을 중얼중얼 읊었다. 동료 한 사람
이 시주하니 스님은 가버렸다. 갑자기 소나기가 쏟아졌다. 우
비를 쓰고 산길을 걸어서 롯지(lodge)에 도착할 즈음 소나기
는 멈췄다.
　저녁 식사를 먹고, 롯지(lodge) 밖으로 나왔다. 달빛에 보
이는 눈 덮인 히말라야 자태가 신비하게 보였다. 네팔의 식사
는 현지식 달바트(쌀밥과 카레)로 식사 후에 밀크티를 숭늉처
럼 마셨다. 포터들은 스푼 대신 맨손으로 카레와 밥을 비벼서

맛있게 먹었다.

　다음날, 새벽부터 트레킹 했다. 눈에 보이는 것은 멀리 보이는 설산과 깊은 계곡 속에 그림같이 펼쳐진 계단식 논밭이 전부였다. 하루 종일 오솔길과 계단길을 오르고 내리고를 반복했다. 높은 산에서 떨어지는 폭포수가 웅장하고 아름다워서 가이드에게 폭포 이름을 물어보니 이름이 없다고 대답했다. 히말라야산에서 내려오는 수량이 계절 따라 바뀌므로 그런 경치는 있다가도 사라져서 네팔인에게는 안중에도 없는 것 같았다.

저녁 무렵, 시누와 마을(2,500m)에 도착해 식용으로 염소 한 마리를 샀다. 포터들은 능숙하게 염소를 잡고 넓적한 돌판 위에 고기를 구웠다. 네팔의 달바트만 먹고 일주일을 걷기엔 영양 보충이 필요하다고 생각했다. 염소고기는 처음 먹어 보았으나 맛이 괜찮았다.

우리 일행은 직장 동료 28명, 가이드 3명, 포터 14명으로 총 45명의 대식구였다. 저녁식사가 끝나자 현지 주민들이 하나둘씩 우리 숙소로 모여들었다. 롯지 마당에는 우리 일행과 계곡 마을 주민들로 꽉 찼고, 인근 롯지에서 구경 온 등산객들도 여럿이라 마당이 비좁았다.

시누와 주민들은 행복을 상징하는 메리골드 주황색꽃 목걸이를 우리 목에 걸어주고, 환영한다는 인사말을 했다. 네팔의 전통 복장을 입은 주민들이 능수능란하게 북을 치고 피리를 불었다. 북소리는 계곡에 울려 퍼졌다.

둥둥~ 두두둥~ 네팔 주민들이 다 함께 한마음으로 목청을 높여 네팔의 전통 민요 '레삼 삐리리'를 합창했다. 네팔 전통 복장을 한 산골 처녀가 손을 높이 쳐들어서 날렵하게 춤을 추고, 가이드와 포터들은 신이 나, 한바탕 춤판이 벌어졌다. 합창하는 노랫소리에 고요한 히말라야 계곡이 쩌렁쩌렁 울렸다.

주민들의 표정이 밝고 행복해 보였다. 우리는 감사의 표시로 미리 준비한 지역발전기금을 주민 대표에게 전달하고 그들이 돌리는 모금 쟁반에도 약간의 기부금을 각자가 알아서 올려놓았다. 어느 주민은 어두운 밤길의 계곡을 걸어서 집으로 돌아가는데, 한 시간이나 걸린다고 말했다. 히말라야 깊은 산속에서 즐겼던 염소고기 파티와 축제를 생각하면 지금도 흐뭇한 미소가 입가에 흐른다.

다음날 새벽, 비탈길 능선에 있는 마을을 통과할 때, 어린이들이 나란히 줄지어서 있었다. 등산객에게 손을 내밀어 사탕이나 초콜릿을 달라고 "스위트(Sweet)"를 외쳤다. 우리는 미리 준비해 간 사탕과 초콜릿 등을 선물로 나누어 주었는데 한국이 가난했던 옛 시절 미군한테서 받았던 껌이나 초콜릿을 지금 네팔 아이들에게 돌려준다는 생각이 들었다.

비탈길 옆에 조그만 운동장이 있는 학교가 눈에 보였다. 등교하는 중학생들에게 볼펜을 선물하니 신기한 듯 쳐다보고 고맙다는 미소를 슬며시 지었다. 서양 등산객들은 마을 아이들과 악수는 하지만 과자나 학용품을 주지는 않았다. 그러나 가난에서 막 벗어난 한국인은 지금 가난한 이웃에게 호의를 베풀고 싶은 마음이 들었던 것이다.

좁은 오솔길을 따라 묵묵히 걷고 계단도 오르내렸다를 반복하며 서서히 고도를 높였다. 피곤하면 멀리 보이는 눈 덮인 설산을 바라보며 힘을 냈다. 가끔 고갯길 언덕에 있는 신비한 오색 깃발도 바람에 펄럭이면서 우리를 응원했다.

긴 줄에 매인 오색 깃발은 티베트 문화에서 비롯된 것으로 '다루촉'이라 한다. 깃발에 불교 경전을 쓰고 바람이 한번 불면 경전을 한번 읽었다고 믿는다. 글을 모르는 사람들을 위해 생겨난 것으로 불교의 자비심이 느껴졌다. 바람이 많은 고원 지대에 사는 티베트 사람들은 바람이 신의 뜻을 전하는 전령 이라고 믿는다.

좁은 산길에는 말똥이 군데군데 떨어져 있고 가끔씩 내려 오는 등산객들의 "나마스테!"라는 인사가 대화의 전부였다. 길 이 좁아서 혼자 걸어야만 했다. 우리 일행의 대열은 길게 늘 어져 마치 군인들이 행군하는 모습과 비슷했다.

포터들은 엄청난 무게의 배낭을 짊어지고 묵묵히 산길을 걸었다. 우리에게 부담스러운 모습을 보이지 않으려고 항상 먼저 출발하여 도착지에서나 볼 수 있었다. 포터들은 20대부 터 40대까지 연령층도 다양하고 저녁식사 후에는 허름한 장 소에서 자기들끼리 카드놀이를 했다.

네팔에 갔던 2003년은 내전 상태였고 여행 도중 곳곳의 검문소에서 정부군이 수시로 검문을 하였다. 안나푸르나를 트 레킹 하면서 마을 건물에 붙어있는 'Salt is salt, Water is water!'라는 표어를 여러 곳에서 보았다. 왕정에 반대하는 사 람들이 써 붙인 표어라고 생각했다. 성철 스님의 '산은 산이 요, 물은 물이다!'라는 법어(法語)와 비슷한 글귀다.

히말라야 트레킹 내내 현지 가이드와 수시로 대화를 나눴 다. 책임 가이드인 '사카'는 석가모니와 같은 성씨로 네팔의 국립대학을 우수한 성적으로 졸업했다. 그리고 장학생으로 선 발되어 한국어 연수를 갔다 온 경력이 있다. 경희대에서 한국 어 교육과정을 6개월 이수해 한국어를 웬만큼 할 줄 알았다. 포터들의 일당을 알아보니 그들이 가져가는 몫은 하루 5달러

쯤 되었다. 온종일 40kg 넘는 짐을 메고 히말라야 산속을 걸어도 우리 돈으로 5천 원 남짓한 금액을 받는다. 내 짐을 메고 가는 포터에게 나이를 물어보니 20대 초반의 대학생이라고 대답했다. 인도에서 대학 재학 중인데, 경제적 사정으로 휴학을 하고 포터 일을 일시적으로 한다고 말했다. 내 자식과 비슷한 나이라 불쌍하다는 생각이 들어 트레킹 하는 동안 따뜻하게 대했다. 휴게소에서 가끔 음료수를 대접하니 고맙다고 정중하게 인사를 했다. 인간은 어느 나라에서 출생하는가에 따라 운명이 좌우되기도 한다. 산속에서 며칠을 보내니, 마음이 편안하고 트레킹에 익숙해졌다. 그러나 해발이 제법 높은 '히말라야 롯지'에서 잠잘 때에는 슬리핑백 속에서도 한기를 느낄 정도로 몹시 추웠다. 그리고 서서히 고산증 비슷한 증세가 나타났다. 11월의 네팔 날씨는 고도에 따라 사계절을 모두 느낄 수 있다.

마차푸차레산

트레킹 4일째 날이다. 멀리 보이던 마차푸차레가 가깝게 보였다. 마차푸차레는 두 개로 갈라져 있는 봉우리 모습이 물고기의 꼬리 모양으로 네팔어로 '물고기 꼬리'라는 뜻이고, 영어 'Fish Tail'로도 잘 알려졌다. 마차푸차레는 히말라야 유일의 미등정 산으로도 유명하다. 1957년 지미 로버트가 이끄는 영국 등반대가 정상 50m 앞까지 등반한 적이 있으나 네팔인들이 신성시하는 산으로 지금도 등반이 금지되어 있다.

해발 4,000m쯤 되자 고산증 때문에 속이 울렁거렸다. 발걸음도 공중에 살짝 떠 있는 기분이 들고 은근히 피곤했다. 마차푸차레 롯지에서 휴식을 취하고 조금 더 걸어서 안나푸르나 베이스캠프(4,130m)에 도착했다. 히말라야 안나푸르나 베이스캠프에 꼬박 4일을 걸어서 도착한 것이다.

안나푸르나 앞에 선 필자

지금부터는 오던 길을 되돌아서 내려가야 했다. 코스 중간 쯤에서 옆길로 빠져, 촘롱이란 마을에 숙소를 잡았다. 히말라야 산속에서 보내는 6일째, 마지막 날이었다.

포터들과 함께 송별 파티를 열었다. 지금까지 산속에서 술을 거의 마시지 않았지만 오늘은 맥주와 네팔 위스키 럼주를 마시며 서로의 고생을 격려하고 특히, 포터들이 즐겁게 놀 수 있는 시간을 마련하였다. 14명 포터 모두가 수고하였지만 우리에게 가장 인상적인 포터를 투표로 선발하여 '베스트 포터상'을 금일봉과 함께 선사했다. 동료 한 사람이 수상자를 목마 태워서 마당 한 바퀴를 돌았다.

포터들이 즐겁게 노는 것을 바라보고 인간은 무대만 다르지 살아가는 이치는 비슷하다고 느꼈다. 나는 내 짐을 날라준 포터에게 고맙다는 표시로 팁을 주었다.

다음날, 트레킹을 한낮에 일찍 끝내고 히말라야 계곡을 빠져나와 전세버스로 카트만두 시내로 돌아왔다. 오랜만에 한국식당에서 삼겹살과 상추를 맛있게 먹고 숙소로 돌아와 편한 잠을 잤다.

이른 아침, 창밖을 내려다보니 날씨가 화창했다. 카트만두에서 관광객들이 호기심을 갖고 찾아가는 파슈파티나트 화장터로 갔다. 카트만두에 있는 파슈파티나트 힌두사원은 갠지스강 상류에 해당하는 바그마티강에 접한 네팔 최대의 힌두교 성지(聖地)이고 대표적인 화장터이기도 하다. 유네스코 세계문화유산으로 지정되었다.

힌두교 수행자

사원 근처 공원을 둘러보니 도(道)를 닦는 힌두교 수행자 여러 명이 이곳저곳에 요가하는 자세로 앉아 있었다. 머리와 수염은 길고, 얼굴은 하얀 분가루를 칠했는지 괴상한 모습이었다. 명상하는 수행자 모습이 신기하여 슬며시 사진을 찍었더니 눈을 뜨고 있었는지 벌떡 일어나 나에게 손을 내밀었다. 별 수없이 팁을 주었지만 뜻밖의 일이라 당황스러웠다.

갠지스강의 지류인 성스러운 바그마티강은 규모가 작았고 지저분하지만 힌두교인들은 생전, 이곳에서 몸을 씻기를 원한다. 그들은 이 화장터에서 화장을 하면 윤회를 벗어나 해탈을 이룰 수 있다고 믿고 있다. 화장터가 잘 보이는 맞은편에 자리를 잡고 화장하는 광경을 바라보았다.

파슈파티나트 화장터

　장작 위에 시신을 올려놓고 맨몸의 시신을 천으로 덮었다. 흰옷 입은 상주가 시신을 돌고 장작 위에 놓인 짚더미에 불을 붙였다. 사원 위로 불꽃과 연기가 치솟았다. 주변으로 시신과 장작 타는 매캐한 냄새가 번져 나갔다. 고인이 극락세계로 가기를 기원하는 의식이라 유족들은 덤덤한 표정을 지었다. 강가에는 물에 빠진 동전이나 귀금속을 줍는 듯한 사람이 분주하게 움직이고, 아이들은 물장난을 치면서 즐겁게 놀았다. 사원 위로 솟아오르는 연기를 쳐다보니 망자가 극락세계로 가는 것처럼 보였다.

　그곳에서 나와 보다나트 사원으로 이동했다. 이 사원은 티베트 불교 사원이다. 힌두교 나라 네팔에서 불교가 자리 잡게 된 것은 1959년 중국이 티베트를 점령하면서 티베트 난민들이 히말라야를 넘어 이곳으로 몰려들면서 시작되었다고 한다.

이곳에는 부다 수투파 즉, 부처님의 사리를 모신 티베트의 불탑이 있다. 이 탑의 상층부에 그려진 두 눈은 혜안, 코는 해탈, 입이 없는 것은 묵언을 상징한다.

모두가 수투파를 왼쪽에서 오른쪽으로 홀수로 돌았다. 특히 마니차를 돌리면서 탑돌이를 하는 관광객이 많았다. '마니차' 란 손으로 돌리는 경전으로 이것을 돌리면 대신 경을 읽어준 다는 기구다. 글자를 모르는 사람들에게 이심전심으로 불경을 전하는 것이다. 수투파 사원을 중심으로 많은 사원과 기념품 을 파는 가게들이 즐비하게 늘어서 있다. 가게에서 은은히 흘 러나오는 티베트 불교의 기도 명상 음악이 묘하게 마음을 감 동시켰다.

부다 수투바

"옴마니반메홈~ 옴마니반메홈~", 이 말은 산스크리트어로 '온 우주에 충만한 지혜와 자비가 모든 존재에게 그대로 실현될지이다.'라는 뜻으로 여섯 글자의 불교 진언(眞言)이다. 가게에서 옴마니밤메홈 명상 음악 CD와 딸에게 줄 작고 예쁜 보석 상자를 샀다.

마지막 여행 코스, 덜발 광장으로 갔다. 이곳은 세계문화유산에 등록되었으며 옛 왕궁을 중심으로 독특한 분위기의 사원과 신상들을 볼 수 있다. 특히 광장 북쪽에는 신(神) 하누만 동상과 여신으로 추앙받는 살아있는 '쿠마리 데비'를 모신 사원이 유명하다. 쿠마리는 종교와 관계없이 추앙을 받고 있는 살아있는 여신이다. 쿠마리의 기원은 옛날 칼레주란 힌두 여신이 아름다운 여인의 모습으로 카트만두 왕국에 내려왔다. 여신의 미모에 반한 왕은 여신을 극진히 모시던 중 이성을 잃고 여신을 범하려 했다. 분노한 여신은 하늘로 올라갔고 왕은 돌아올 것을 열심히 빌었으나 여신은 다시 돌아오지 않았다. 하지만 계속된 왕의 간절한 기도에 누그러진 여신은 그에게 초경을 겪지 않은 순수한 어린 여자를 선택해, 그녀를 자신의 분신으로 섬기라 명했고 네팔의 왕들은 현재까지 그 명을 따르고 있다.

여행 일정이 모두 끝났다. 세계의 지붕, 히말라야를 트레킹하면서 자연에 대한 경외심과 그 속에서 살아가는 네팔인들의 삶을 보고 그들의 행복과 생존의 현실을 확인할 수 있었다. 여러 종족이 다양한 종교를 갖고 조화를 이루어 살아가면서 그들도 추구하는 최종 목표가 행복이라는 것도 알았다.

최근에 국가간 왕래가 늘어나면서 물질 가치의 중요성을 후진국 국민도 깨닫기 시작했다고 한다. 과거 가난하지만 행복지수가 높았던 국가들의 최근 행복지수가 급격히 추락하는 실정이다. 히말라야를 갔다 온 사람들은 경제적 풍요와 인간의 행복은 반비례한다는 사실을 깨닫고 돌아온다고 한다. 부분적으로는 일리가 있지만 전적으로 그렇게 보기에는 현실과 맞지 않다. 카트만두 시내에서 동냥하는 많은 걸인들과 행색이 초라한 주민들을 목격했다. 무거운 짐을 어깨에 메고 하루 종일 산속을 걷는 고달픈 젊은이들과 함께 일주일을 겪어 보았다.

가난과 질병의 고통 속에서 살아가는 상당한 네팔 국민을 생각하면 오직 마음으로만 행복을 추구하기에는 현실적인 한계가 존재한다고 새삼 깨달았다. 하지만 행복이란 일상에서 충분한 만족과 기쁨을 느끼는 상태라고 정의하는데, 정신적인 만족 없이 행복할 수 없다는 사실에 이견(異見)이 있을 수 없다. 인간의 풍요한 삶이란 물질과 마음이 균형 있게 조화를 이룰 때 가능하지 않을까 하는 생각이 든다.

히말라야를 다녀온 지 5년쯤 지난 어느날, 트레킹 할 때, 보조 가이드를 하면서 우리를 헌신적으로 도왔던 '라마'가 서울을 방문했다는 소식을 듣고, 직장 동료 여럿이 명동에 모였다. 네팔을 여행할 당시, 나의 룸메이트 C 부장은 라마를 나이키 신발 매장으로 데리고 가, 멋진 신발을 선물했다. 우리는 호텔 식당에서 환영 파티를 열었고 라마가 감격했는지 울음을 터뜨리고 감사하다는 인사말을 영어로 했다.

17년 만에 네팔 여행의 추억을 글로 써 보니, 마음으로 다시 여행하는 기분이 들었다. 당시 네팔 여행의 강한 인상이 아직까지 생생하게 남아, 그곳에서 겪은 추억과 감정을 그대로 기술하기가 그리 어렵지는 않았다. 지금도 히말라야 고갯길 언덕 위에 바람에 펄럭이고 있을 오색기 '다루촉'과 네팔 주민들의 애절한 노랫가락인 '레삼 삐리리'를 그리워한다. 다시 그곳을 찾아가 흰 눈 덮인 설산을 바라보며 또 걷고 싶은 마음이다.

네팔의 전통 민요 '레삼 삐리리'를 들으면서 마음속으로 다시 한번 추억의 히말라야를 걸어보았다.

누가 진정 천한가?

　"무소의 뿔처럼 혼자서 가라!" 이 말은 모든 욕망과 애욕을 끊고 홀로 진리의 길을 가라는 뜻으로 불교 초기 경전, 숫타니파타에 나오는 시구(詩句)다. 언젠가 소설과 영화의 제목으로 인용된 적도 있다.

　숫타니파타 경전은 천하다는 것이 무엇인지 부처님이 이렇게 설(說)했다. "화를 잘 내고 원한을 품는 사람, 남의 물건을 탐내고 훔치는 사람, 폭력 등으로 남의 아내와 놀아나는 사람, 증인으로 불려갔을 때 자신의 이익이나 남을 위해 거짓으로 증언하는 사람, 재산이 있으면서도 병든 부모를 섬기지 않는 사람, 남의 집에 가서 융숭한 대접을 받고 남을 대접하지 않은 사람, 사실은 깨닫지도 않았으면서 성자라고 자칭하는 사람, 이런 사람들이야말로 천한 사람이다."

　이 말씀은 어느 바라문이 탁발하던 부처에게 천하다고 욕설할 때 거꾸로 무엇이 진정 천한 것인가를 설하여 그 바라문이 이를 깨닫게 되어 부처님을 스승으로 모셨다고 한다.

　조선시대에는 양인과 천인을 구분하는 신분제도가 있었다. 천인은 낮은 신분을 의미하는데, 이들은 태어날 때부터 신분이 정해져 있고 특별한 공을 세우지 않으면 양인이 될 수 없었다고 한다. 천인은 세금이나 노역은 없지만 자유를 구속당하고 거주지도 제한되었다. 노비가 대부분이었으며 개인이나 관가에 얽매여 주로 농사 일이나 허드렛일을 했다. 그 당시의 천인 중 최하위 계층을 보면 기생, 백정, 갖바치, 광대, 무당과 뱃사공인데 이 신분제도는 조선시대 말에 갑오개혁으로 폐지되었다.

그 시절에는 문(文)과 무(武)를 중요하게 여겼으며 벼슬을 하지 않으면 크게 행세할 수 없었다. 특별한 재주나 기술로 살아가는 사람들도 천하다고 여겼으며, 전문직도 특별 대접을 받지 못했다. 조선 세종 때, 천민 출신이었던 장영실은 나라에 큰 공을 세워 종 3품의 벼슬까지 오른 인물이다. 그 시대는 의원과 통역관도 양반이 아니고 중인 신분이었다.

요즈음, 의사는 사람들이 선망하는 전문직이다. 외교관 역시 능통한 언어와 전문 지식을 갖춰야만 될 수 있다. 즉 현대의 상류계층에 속하는 사람들이다. 얼마 전만 하더라도 연예인 직업은 사람들이 그렇게 부러워하는 직업이 아니었지만, 지금은 크게 달라졌다. 청년들은 연예인이 되려고 치열하게 경쟁한다. 실제로 인기 연예인은 높은 인기와 함께 사람들이 부러워하는 고소득자다.

부처님이 말씀한 '천하다'라는 내용에는 어떤 계급, 신분도 언급한 것은 없다. 오로지 그 사람의 행위로 천한지의 여부를 판단했다. 세월이 2500년 넘게 흘렀으나 지금도 틀림없는 진리의 말씀이라고 본다.

　많은 재산이나 높은 직위를 갖고 있는 자(者)라 할지라도 행위가 반듯하지 않으면 천한 사람이요, 지위가 낮고 가난한 사람일지라도 행위가 반듯하면 귀한 사람이라는 부처님 말씀을 지금의 현실과 비교해 보고 누가 진정 천한 자(者)인지 곰곰이 생각해 볼 필요가 있다고 느꼈다.

염주

등 굽은 고승의 주름진 목탁 소리
동녘은 서서히 잠에서 깨고
소쩍새는 먼산으로 날아간다

알알이 실에 꿰인 보리수 열매
검푸른 탑을 돌고
떼내지 못한 그림자가 동행한다

어디서 왔다가 어디로 가는가
두 손에 갇힌 번뇌 염주알에 흐르고
백팔 번을 도니 그중 하나가 향불에 앉는다

김형석 교수의 행복

톨스토이와 간디를 존경한다는 김형석 교수님의 칼럼을 읽은 적이 있다. 톨스토이(1828~1910년)는 당시 귀족들이 꿈꿨던 법관이 되고자 했으나, 성경을 읽고 삶의 의미를 찾기 위해 작가의 길을 택했다고 한다. 많은 재산과 농토를 소유한 삶을 부끄럽게 생각하고 인생의 참의미와 가치를 찾아 순례의 길을 걸었다. 간디(1869~1948년)는 한평생 진실을 위해 거짓과 싸웠는데, 폭력이 사라지고 사랑이 넘치는 사회를 위해 생애를 바친 인물이다.

김 교수님은 이들이 남겨준 교훈에 대해 이렇게 말했다.

"먼 길을 떠나는 사람은 많은 짐을 갖지 않는다. 높은 산에 오르기 위해서는 무거운 짐은 산 아래에 내려놓는 법이다. 소유의 노예가 되어서는 안 된다. 소유는 베풀기를 위해 주어진 것이지 즐기기 위해 갖는 것이 아니다. 결과적으로 그들이 나에게 남긴 교훈이란 정신적으로는 상류층에 살지만 경제적으로는 중간층에 머물러야 한다."

김 교수님은 강의를 왕성하게 했던 60대에도 교통이 양호한 곳을 선호하였고 특히, 대기업은 강연료가 많아 만족도가 높았다고 한다. 경제적인 관점으로 볼 때, 일반인과 철학 교수와의 차이점은 없는 것이라고 생각할 수 있다. 하지만 교수님은 70대가 되자 강연료의 액수도 좋지만, 누구를 위해 강의하는 것이 좀 더 보람이 있을까? 하는 생각이 들었다고 한다. 한편 진정한 행복에는 경제가 중간층에 머물러야 한다는 교수님의 말씀도 대중들의 생각과 비슷하다고 느꼈다.

전세계 현대인에게 지금보다 더 행복해지기 위해 필요한 것이 무엇이냐고 물었더니 국가나 계층에 관계없이 돈이라고 대답한 사람이 가장 많았다는 연구 조사가 있다. 그러면서도 사람들은 돈과 행복은 관계가 없다고 믿고 싶어 한다. 돈과 행복의 관계에 대한 연구 결과는 다음과 같은 애매한 결론을 내렸다. "부유한 사람들이 평균적인 수준의 사람들보다 더 행복하다는 증거는 없다. 부(富)가 행복을 가져다주는 것은 아니지만, 가난은 불행을 가져다줄 수 있다."

이러한 결론은 부자라고 행복한 것이 아니라는 대중적인 정서와 일치하는 표현이다. 돈은 행복의 중요한 요소이지만, 그것을 목표로 할 경우에는 불행해진다고 한다. 그 이유는 자신이 목표로 한 만큼 돈을 버는 것이 어렵고 정신적 만족 없이는 행복하기란 결코 불가능하기 때문이다. 부자가 아니지만 자기 인생에 만족하며 이웃을 사랑하고 봉사하는 사람들도 주변에 적지 않다. 이들은 행복한 삶을 살아가는 것이라고 생각한다.

문득 톨스토이가 쓴 "인간에게 얼마큼의 땅이 필요한가?"라는 단편이 머리를 스치고 지나갔다.

미켈란젤로를 기리다

추운 겨울이 다가오면 옛적, 이탈리아를 여행한 추억이 떠오른다. 2003년 겨울, 그곳에서 난생처음 건축 조각과 그림에 대해 깊은 감동을 받았다. 여행 일정이 공교롭게도 성탄절 시즌이라 기독교와 르네상스 미술을 감상하고 이해하기 좋은 분위기였다. 여행을 마치고 몇 년이 흐른 2008년에 한 번 더 그곳을 다녀왔다.

이탈리아 여러 곳을 여행하면서 로마시대의 유물을 포함하여 여러 예술품을 감상했다. 미켈란젤로(1475~1564년)의 '피에타'라는 조각상을 보고, 천재 조각가의 아름다운 예술성, 그가 표현하고자 했던 애절함과 거룩함이 온몸에 느껴졌다.

피에타란 이탈리아어로 '자비를 베푸소서!'라는 뜻으로, 성모 마리아가 죽은 예수 그리스도를 안고 있는 모습을 표현한 그림이나 조각상을 의미한다. 이 피에타상은 미켈란젤로가 로마에 머물던 시절, 25세에 프랑스인 추기경의 주문으로 제작된 것이다. 예술가들은 이 조각상에 대하여 이렇게 말했다. "마리아가 그리스도의 시신을 안고 있는 모습은 고딕 조각에서 많이 볼 수 있는데, 이런 모습은 흔히 그리스도의 몸이 마리아의 무릎 밖으로 뻗어 나와 조각 작품으로는 부자연스러운 형태가 된다. 미켈란젤로는 그리스도의 몸을 작게 표현하면서 옷을 사용하여 마리아의 무릎을 크게 보이게 하여 부자연스러움을 조형적으로 없애려고 했다. 그러나 그것은 단지 조형적인 해결을 위한 것만이 아니다. 옷이라는 것은 미켈란젤로에게 중요한 사상적 의미를 가지며, 옷으로 감싼다는 것은 하나님에 의해서 보호를 받고 현실적인 위협으로부터 수호되는 상태를 가리킨다.

채색된 조각을 좋아하지 않았던 미켈란젤로는 푸른색이었을 마리아의 옷을 대리석에 의한 형태로만 표현하려고 하였다. 그는 대리석으로 구겨진 옷자락에 주름을 만들어서 그것을 그리스도를 지키는 하나님의 옷으로 표현하였고 후광이나 가시와 같은 상징도 마리아의 청순하고 경건한 얼굴과 육체의 표현 속에 담았다."

이 '피에타'는 미켈란젤로의 작품 가운데 그의 이름이 기록되어 있는 유일한 작품이다. 마리아가 두른 어깨 띠에는 '피렌체인 미켈란젤로 부오나로티 제작(MICHAEL. ANGELVS. BONAROTVS. FLORENT. FACIEBAT)'이라는 글이 새겨져 있다. 피렌체에 있는 '다윗과 골리앗', 로마 산 피에트로 대성당에 있는 '모세상'과 더불어 그의 3대 작품으로 꼽히는데, 그중에서도 완성도가 가장 높은 것으로 평가된다.

이탈리아의 천재 예술가 '미켈란젤로 부오나로티'에 대하여 알아보자. 한 인간의 힘으로 도저히 이룰 수 없는 것 같은 위대한 그의 작품 앞에서, 우리는 경탄할 수밖에 없다. 미켈란젤로의 '다비드', '피에타'와 같은 조각 작품들과 바티칸시에 있는 시스티나 성당의 '천지창조'와 '최후의 심판'과 같은 그림을 보면 놀라움을 금치 못한다. 더구나 자신을 조각가라고 주장한 사람이었다. 그는 화가가 되어 고개를 위로 쳐들고 천장을 그리고 불멸의 명작도 만들었다. 그의 작품을 올려다보면 이 천재 예술가는 도대체 어떤 삶을 살았는지 의문을 품지 않을 수 없다.

피에타

미켈란젤로 평전 저자, 로맹 롤랑은 천재를 믿지 않는 사람 혹은 천재란 어떤 것인지를 모르는 사람은 미켈란젤로를 보라고 하면서 그가 어떻게 일을 했는지 이렇게 말했다.
"약간의 빵과 포도주를 들고나면 일에 파묻혀 잠도 몇 시간

밖에 잠 자지 않았다. 미켈란젤로는 1564년 90세의 나이로 세상을 떠날 때까지 런던의 피에타를 제작하고 있었다. 한때 병치레를 하면서도 식사할 시간도 없이 일에 몰두하여 작업을 멈추지 않았다.

이런 고통의 삶 속에서도 그가 장수할 수 있었던 것은 예술에 대한 순수한 사랑과 초인적인 열정 때문이었다. 그는 스스로 예술가의 울타리인 고독에 머물러 예술 이외에는 사랑하지도 사랑받지도 않은 상태에서 슬픔 그 자체로 살면서 사람들에게 그의 작품을 보여 주었다.

미켈란젤로는 망치와 끌로 대리석을 조각해 물질 안에 속박되어 있는 개념을 보여 주었다. 그는 조각 작업을 불필요한 부분을 제거하는 과정이라고 표현했다. 자연에서 얻어온 대리석 덩어리를 응시하고 있는 미켈란젤로는 돌에 가두어져 있는 위대한 형태를 보고 그것을 우리에게 보여주기 위해 작품 주위를 둘러싸고 있는 돌을 조금씩 뜯어낸 것이다." (출처:세계 인물사)

미켈란젤로는 1475년에 이탈리아 피렌체 부근, 카프리제에서 태어났다. 그가 여섯 살 때 어머니는 세상을 떠났고, 어느 석공의 아내에게 맡겨졌다. 그는 탁월한 재능으로 그림과 조각을 피렌체의 명문 메디치 가문의 도움을 받아 공부하며 성장했다.

그는 어릴 때 조각하는 작업 현장에서 끌과 망치로 노는 것을 아주 좋아했다고 한다. 그리고 명문 메디치가의 후원으로 그의 천재성이 확인되었으며, 조각 학교에서 전문적인 교육을 받았다.

그가 생전에 작업을 완성한 유일한 이 피에타는 그가 늘 어머니를 그리워하는 영혼이 세계적인 위대한 작품을 만들지 않았을까? 하는 생각이 든다. 이 작품은 그의 나이 25세에 만들어졌으며 성모 마리아 어깨띠에 자신의 이름을 새겨 넣었지만 그 이후에는 이름을 조각상에 새기지 않았다고 한다. 그는 이미 도를 깨우쳤고 그가 추구하는 욕망은 세속적인 것을 초월하여 자아를 실현한 인물이라고 볼 수 있는 대목이다.

그의 천재성과 작품에 몰입하는 소탈하면서도 순수한 그에게 존경심을 보낸다. 한편, 평생 어머니를 그리워하며 살았을 그를 생각하면 마음이 애잔하다. "영혼은 신에게 보내고, 육체는 대지로 보내라. 그리운 피렌체로 죽어서나마 돌아가고 싶다"라는 유언을 남기고 그는 로마에서 살다가 하늘나라로 떠났다. 미켈란젤로의 90년 세월은 고통과 슬픔 그리고 절망의 세월이었지만, 그의 작품으로 우리는 환희와 희망을 보며 감동하고 앞으로 살아갈 삶의 질을 마음속에 품게 된다.

미켈란젤로는 "우리들에게 아주 큰 위험은 목표가 너무 높아서 달성하지 못한다는 사실이 아니라 목표를 너무 낮게 잡고 성취하는 것이다."라는 명언을 남겼다.

황제펭귄의 사랑과 눈물

　MBC는 2012년, 창사 50주년 특집으로 '지구의 눈물' 다큐멘터리를 방영했다. '지구의 눈물' 시리즈 중 가장 마지막 작품, '남극의 눈물'은 황제펭귄을 비롯한 남극의 다양한 생명을 담아냈다. 프롤로그와 에필로그를 제외하면 총 4편으로 구성되었고, 마지막 편이 '남극의 눈물'이다. 그중 1부 전체는 남극에 살고 있는 황제펭귄의 생태를 자세히 보여주었는데, 그때 받은 신선한 충격은 아직도 잊을 수 없다. 이 다큐멘터리 해설자는 '남극의 눈물'을 이렇게 말했다.

　"눈과 얼음의 나라, 혹한의 추위가 지켜낸 원색의 아름다움이 존재하는 땅, 그리고 무한한 가능성과 기후 변화의 열쇠를 간직하고 있는 곳, 지금 세계의 눈이 남극을 향하고 있다. 위기의 지구 그 중심에는 남극이 있다. 지구 온난화 측정의 새로운 지표로 제시된 얼음대륙 남극, 대륙에 감지된 이상기후와 생태계 교란, 이미 지구의 경고는 시작되었다."

　황제펭귄은 현존하는 펭귄 중에서 몸집이 가장 커서 황제펭귄이라고 한다. 키는 최대 122cm, 몸무게는 23~45kg이다. 수컷이 암컷보다 약간 더 크다. 알을 품고 새끼를 양육하는 동안에는 체중이 많이 줄어든다. 부서질 위험이 없는 단단한 얼음 위에서 번식과 새끼 양육을 한다. 남극의 겨울에 알을 낳고 양육하는 유일한 동물로, 3~4월에 집단을 형성하고 5~6월에 알을 낳는다.

암컷은 알을 낳고 먹이를 몸에 비축하기 위해 바다로 떠나면서 알을 조심스럽게 수컷에게 넘겨준다. 수컷은 발 위에 있는 주머니에 알을 넣고 품는다. 알을 품고 있는 2~4개월 동안 수컷은 수분 섭취를 위해 눈을 먹는 것 말고 아무것도 섭취하지 못한다.

알을 품은 수 천 마리의 수컷은 추위를 피하려고 몸을 서로 밀착하고 천천히 주위를 돌다가 바깥쪽에 서 있는 개체가 체온이 낮아지면 안쪽에 있는 개체와 자리를 바꾸면서 집단 체제의 체온을 유지하는데, 이것을 허들(huddle)이다.

부화 기간은 약 64일이다. 수컷은 암컷이 부화한 새끼에게 자신의 위 속에 있는 소화된 먹이를 토해 먹인다. 새끼가 부화한지 열흘 정도 후에 암컷이 돌아와 같은 방식으로 먹이를 주고, 그 이후에는 수컷과 암컷은 번갈아 가며 바다로 나가, 먹이를 비축해 돌아온다. 생후 40~50일이 지나면 부모 펭귄 모두 바다로 나가고 집에 남은 새끼들은 집단을 이루어 허들을 한다. 12~1월이 되면 집단 전체가 바다로 나간다.

이 특집을 보고 황제펭귄의 생태를 자세히 알게 되었다. 특히, 몇 달을 굶으면서 알을 품는 수컷과 먼바다로 걸어가 태어날 새끼의 먹이를 저장하고 몇 달 만에 돌아오는 암컷의 자식 사랑은 상상을 초월했다.

부부 황제펭귄이 자식을 위해 서로 돕고 헌신하는 모습이 보기 좋았고, 지금껏 동물이라 얕잡아 보았던 나의 선입견을 완전히 바꿔 놓았다. 수컷은 영하 20도를 넘는 혹독한 추위 속에서 알을 품고 서로 몸을 밀착한 채, 원을 그리면서 돌고 돌았다. 이러한 모습에서 펭귄의 지혜를 엿볼 수 있고 집단으로 춤추는 듯한 신기한 광경은 지금도 생생하다.

어느 황제펭귄은 남의 새끼를 빼앗기 위해 저돌적으로 공격하지만 새끼를 빼앗기지 않으려고 완강히 저항하는 황제펭귄의 모습에서 강한 모성애도 확인할 수도 있었다. 또한 어린 황제펭귄이 외딴곳에서 혼자 놀다가 어미에게 야단맞는 모습

은 마치 인간과 흡사하여 웃음이 저절로 나왔다.

12월이 되자, 얼음이 녹아서 어느 황제펭귄은 늦게 집에 도착했다, 그리고 굶어 죽은 새끼를 보고 크게 울부짖는 모습에 내 눈시울이 붉어졌다. 결국, 생태계가 파괴됨으로써 비극이 발생하고 있다는 사실을 인간에게 경고한 것이다.

남극의 생태를 거스르지 않고 살아가는 황제펭귄의 삶이 경이롭고 신비하다. 생태 파괴의 심각성을 깨달아야함은 물론, 황제펭귄으로부터 가족 사랑과 협동심을 배워야 할 필요가 있다고 느꼈다.

조선 왕조의 뿌리, 삼척 활기리

"대지(大地)로다 길지(吉地)로다." 도승이 지나가면서 사방을 둘러보고 하는 말이다. 이어서 "이곳이 제대로 발복(發福)하려면 개토제(開土祭)에 소 백 마리를 잡아서 제사를 지내고, 시신을 금관에 안장하여 장사를 치러야 한다. 그러면 5대 손안에 왕자가 출생하여 이 나라를 바로잡고 창업주가 될 것이다."라고 말했다.

이안사는 전라도 전주에서 강원도 삼척으로 도주한 지 몇 년이 지난 1231년, 부친상을 당해 두타산 자락을 사방으로 헤매고 다녔다. 하지만 마땅한 묫자리가 보이질 않았다. 마침내 삼척군 미로면 활기리, 노동(蘆洞) 산마루에서 몹시 피곤해 잠이 들었는데, 이 꿈을 꾼 것이다. 잠에서 깨어나 집으로 돌아온 이안사는 이런저런 생각에 골몰했다. "넉넉지 않은 살림에 소 백 마리를 어디서 구하며, 금으로 된 관을 어떻게 구할 수 있단 말인가?"

그는 여럿 궁리를 한 끝에 소 백(百) 마리는 흰 소, 백우(白牛)로 대신하고, 금관은 황금색 귀리 짚으로 하면 되겠다는 묘책이 떠올랐다. 다행히 처갓집에 흰 얼룩소가 있었다. 이안사는 다음날 그 소를 빌려 노동 산마루에 끌고 올라갔다. 그리고 백우를 제물로 사용하였고, 부친의 시신을 넣을 관은 귀리 짚으로 대신하여 장사를 정성껏 치렀다.

명당자리에는 항상 설화가 있듯이 이양무 장군의 준경묘에도 백우금관(百牛金棺)의 건국신화가 전해 내려온다. 설화 속에 꿈을 꾼 사람이 조선 왕국을 개국한 이성계의 고조부, 목조 이안사고 목조의 부친이 이양무 장군이다.

준경묘

1230년 즈음 있었던 일이다. 이안사는 전주에서 살았던 지방 호족으로, 사랑하는 관기 때문에 산성별감과 다툼이 생겼다. 마침내 이안사는 지주사(知州事)와도 사이가 나빠져 멸문지화를 피할 수 없다고 판단했다. 이안사는 문전옥답을 다 버리고 그를 추종하는 170여 가구의 식솔을 이끌고 전주에서 강원도 삼척으로 도주했다. 그때 이안사의 나이가 27세로, 늙으신 부모님도 함께 삼척시 미로면 활기리에 왔다. 그리고 몇 년 후, 1231년에 이안사의 부친인 이양무 장군이 돌아가셨고 집 근처 활기리 노동산(蘆洞山)에 묻혔다. 바로 이곳이 조선 왕조의 뿌리가 된 것이다.

나의 증조부모 산소가 삼척시 미로면 동산리(東山里)에 있었다. 그래서 성묘 때 준경묘를 들러본 적이 있다. 옛적, 추석 무렵에는 성묘를 가기 위해 동해시 동해역에서 완행기차를 타고 도경, 미로를 거쳐서 상정역에서 내렸다. 급행도 서지 않는 조그만 산골 역으로 인적이 드물고, 겨울에는 눈이 키만큼 쏟아지는 첩첩산중 오지 마을이다.

상정역에서 기차를 내리면 오십천 시냇물을 건너야 한다. 어느 해는 홍수로 인해 외나무다리가 떠내려가, 바지를 벗고 친척들과 손을 잡고 조심조심 시냇물을 건넜다. 당시 나는 어린 나이였지만 등에 짊어진 성묘 제물이 떨어지면 큰일 난다고 생각했다. 어렵게 시냇물을 건너고 큰 재를 넘어서 밤나무 숲을 지나면 증조부모 산소가 나타났다.

"왜 이런 첩첩산중 오지에 묘를 썼을까?"

하지만 성묘하러 온 사람들이 곳곳에 눈에 띄었다. 어른들께 여쭤보니 "이곳이 명당자리라 후손이 번성하라고 못자리를 썼다."라고 대답하셨다. 성묘를 마치고 집으로 돌아오면 하루가 다 지나가지만 성묘길에 밤을 줍고 감을 따면서 소풍 온 어린이처럼 마냥 기쁘고 즐거운 하루였다.

이안사가 전주에서 도주할 때 그의 부친 이양무 장군과 아무 연고도 없는 멀고도 먼 삼척으로 온 게 궁금했다. 아마도 이안사 외할아버지가 삼척 이 씨 시조, 이강제 상장군과 연관이 있을 것이라고 생각한다. 현실적으로 이안사를 따르는 식솔의 생계까지 해결하려면 삼척지방 토호세력의 도움 없이는 어려웠을 것이다. 당시 삼척 지방의 토호세력은 신라 경순왕의 손자 김위옹의 후손인 삼척 김 씨인데, 이안사와 그의 식솔을 어떻게 도왔는지 확인할 수는 없다.

그런데 나는 고향에서 삼척 이 씨를 만나 본 적이 없다. 아마도 세월이 흐르면서 무슨 일이 생겼다고 추측해 볼 뿐이다. 아무튼, 죽음을 무릅쓰고 전주에서 태백산맥을 넘어 깊은산골짜기로 올 수밖에 없는 이안사의 운명을 생각하면 그의 인생도 무거운 짐을 진 구름 같은 인생 나그네였다.

설상가상으로 이안사와 전주에서 싸웠던 그 관리가 안렴사로 영전해 강원도에 부임했다. 이안사는 화(禍)가 두려운 나머지, 부모님 산소는 삼척에 남겨둔 채 20여 년의 삼척 생활을 마감하고 함경도 의주(宜州)로 다시 도주했다. 그때에도 전주 식솔과 삼척 사람을 포함하여 170여 가구가 이안사를 따라갔다고 전한다. 지금 함경도에는 삼척 김 씨가 비교적 많이 살고 있다는 얘기를 삼척 김 씨 고향 후배로부터 들은 적이 있다. 그들은 이안사를 따라간 삼척 김 씨의 후손일 가능성이 있겠다.

내 고향 친구가 어린 시절, 준경묘 근처에서 살았는데 집에서 20여 리를 걸어 미로국민(초등)학교를 다녔다. 친구 어머니 친정은 이양무 장군의 부인 묘가 있는 미로면 하사전리(下土田里)로 성은 전주 최 씨다.

그 친구는 두메산골, 미로면 하사전리에 여남은 채 되는 최 씨 마을과 전주가 무슨 연관이 있는지 곰곰이 생각해 본 결과, 외 갓집 조상이 이안사와 함께 전주에서 왔을 것이라고 추측하고 있다. 그리고 이안사가 다시 함경도로 도주할 때, 준경묘 와 영경묘를 관리하기 위해 부득이 어느 사람이 하사전리 에 남았고, 어머니는 그분의 후손일 가능성이 높다는 것이다.

30여 년 전 추석날, 친구 어머니가 돌아가셨다. 그 친구는 제사 지방(紙榜)을 전주 최(崔) 씨라 쓰면서 어머니 조상의 행적도 제대로 모르는 불효가 죄스러워서 눈물이 났다고 했다. 사실 친구 어머니의 조상이 전주에서 이안사와 함께 걸어서 삼척 활기리로 왔는지는 확인할 수 없지만 그렇게 상상할 수도 있다.

조선을 창건한 태조 이성계는 삼척군이 목조 이안사의 외향 (外鄕)이고, 선대 묘가 안치된 곳이라 하여 군(郡)에서 부(府) 로 승격시키고, 홍서대(紅犀帶)를 하사했다. 조선시대 태조를 비롯하여 태종, 세조 등 역대 왕들이 선조인 이양무 묘소를 찾으려고 부단한 노력을 기울였다. 활기리에 있는 묘가 태조 이성계의 5대 조의 묘가 확실한지에 대해 많은 논란이 있었 다. 결국, 1899년(고종 36년), 이양무 무덤을 준경묘라 부르 게 되었고 그가 이 세상을 떠난 지 660여 년 만에 묘비가 세 워진 것이다.

삼척은 조선을 개국한 이성계 조상의 혼이 서린 고장으로 자 연이 아름답기로 유명하다. 게다가 준경묘 가까운 곳에는 영 동지방의 영산, 두타산과 신비한 환선굴이 있어 관광객이 일

년 내내 북적거린다. 그들 중 일부는 조선왕조의 뿌리, 준경묘와 연경묘를 찾는다. 두 무덤은 왕릉 수준으로 잘 보호되고 있으며 조선 사직을 낳은 명당이라고 여겨서 조선왕실의 애착이 컸다고 한다.

나는 가끔 준경묘에 들르는데, 그 때마다 목조 이안사의 인생 대장정이 생각난다. 한편, 척박한 활기리 산골마을에 살면서도 꿈을 잃지 않고, 명당자리에 부모님 묘를 쓴 효성을 생각하면 마음이 숙연해진다.

이안사가 결정한 순간의 선택이 삼척 활기리가 조선 왕조의 뿌리가 되었고, 조선 왕조 500년을 좌우했다.

반 고흐의 별이 빛나는 밤

　고요한 밤, 양재천을 산책할 때, 밤하늘에 반짝이는 별을 바라본다. 문학작가들은 별을 가리켜 그리움, 희망, 사랑이라고 말한다. 프랑스 소설가, 알퐁스 도데는 '별'이란 소설에 그의 생각을 이렇게 묘사했다.

　'양치기는 아가씨에게 밤하늘에서 반짝이고 있는 별자리에 대한 이야기를 들려줬다. 이야기를 듣던 아가씨는 양치기 어깨에 기대어 잠이 들었고, 양치기는 별들 중에서 가장 아름답고 빛나는 별 하나가 길을 잃고 내려와 자신이 어깨에 기대어 잠들어 있다고 생각했다.'

　1970년대, 인기를 한창 누렸던 윤형주의 '두 개의 작은 별'이란 서정적인 가요를 비롯하여 별을 소재로 한 노래도 여럿 있다. 우리에게 친숙한 화가, 반 고흐의 그림, '별이 빛나는 밤'은 그의 작품 중에서 대중적으로 가장 인기 좋은 작품이다. 이 그림은 반 고흐가 가장 어둡고 힘들 때, 그린 '꿈'이라고 한다. 생생하고도 강렬하게 보이는 이 그림을 바라보면 37세 나이에 스스로 생을 마감한 그의 인생이 생각나 마음이 애잔하다.

　1889년, 제작된 '별이 빛나는 밤'은 반 고흐가 프랑스 남부, 생 레미에 있는 정신병원에 체류할 때 그린 작품이다.

별이 빛나는 밤 (반 고희 作, 1889)

예술가 공동체를 꾸려보겠다는 야심찬 계획으로 고갱이 합류하여 꿈에 부풀었지만, 어느 날. 갑자기 자신의 귀를 자른 뒤, 정신 병원에 입원했다. 생 레미의 정신병원, 그곳에서 반 고흐는 별이 빛나는 밤과 수많은 아이리스 꽃, 사이프러스 나무가 있는 들판을 그렸다. 사실 이러한 하늘과 바람, 별과 꽃을 그리기 전, 반 고흐는 사람을 더 많이 그렸었다.

고흐는 밤하늘을 직접 보고 그린 것이 아니고, 자신이 보았던 밤하늘을 떠올리며 그렸다고 한다. 그는 별들이 반짝이며 별 잔치를 벌인다고 생각했다. 그래서 노란색의 별들과 달이 물결치듯 움직이며 하늘을 온통 뒤덮고 있는 듯하다. 왼쪽에 높이 솟아올라 불꽃처럼 보이는 것은 사이프러스 나무다.

고흐는 보색 대비를 이용하여 강렬하게 그림을 그렸다. 밤 하늘을 진한 남색으로 칠하고 진한 남색 위에 노란색으로 별 과 달을 칠하여 더욱 생생하게 보인다. 비연속적이고 동적인 터치로 그려진 하늘은 불꽃같은 사이프러스와 연결되고 그 아래의 마을은 대조적으로 평온하고 고요하다. 마을은 있는 것을 그대로 그린 것이 아니라 부분적으로 고안되었는데, 교회 첨탑은 반 고흐의 고향 네덜란드를 연상시킨다고 한다.

그는 병실 밖으로 내려다보이는 밤 풍경을 기억과 상상을 결합시켜 그린 것이다. 이는 자연에 대한 반 고흐의 내적이고 주관적인 표현을 구현한다. 수직으로 높이 뻗어서 땅과 하늘을 연결하는 사이프러스는 전통적으로 무덤에 나와 죽음과 연관된 나무이지만 반 고흐는 죽음을 불길하게 보지 않았다.

그는 "별을 보는 것은 언제나 나를 꿈꾸게 한다. 타라스 콩이나 루앙에 가려면 기차를 타듯이 우리는 별에 다다르기 위해 죽는다."라고 말했다. 이 시기의 특징으로 회오리치는 듯, 꿈틀거리는 필치는 강렬한 색과 결합되어 감정을 더욱 격렬하게 표현한 것이다. (출처-네이버 지식백과)

반 고흐는 1853년 네덜란드에서 목사의 아들로 태어나 프랑스에서 활약한 화가로 네덜란드 시절에는 어두운 색채로 비참한 주제를 선정하여 작품을 선보였다. 그 당시 대표작은 "감자를 먹는 사람들"이다. 1886~1888년 파리에서 인상파와 신 인상파의 영향을 받았으며 주요 작품으로 '해바라기', '아를르의 침실', '의사 가셰의 초상' 등이 있다. 생전, 극히 소수의 사람들에게만 평가되었던 그의 그림은 사후에 유명해졌다.

그는 생전에 동생, 테오에게 생활비를 받아쓰는 현실적인 어려움과 함께 그림을 제대로 인정받지 못한 심적 고통이 컸다고 한다. 천재였으나 생전에 사람들에게 인정받지 못하고 37세의 젊은 나이에 스스로 목숨을 끊은 반 고희의 슬픈 영혼이 그림에 남아 있는 것 같아 우리를 감동시켜 주고 있다.

미국 싱어송라이터, 돈 맥클린(Don Mclean)은 반 고흐 동생, 테오가 쓴 고흐의 일대기를 보고 그의 삶과 죽음을 회상하며 1972년에 자작의 히트곡이 바로 '빈센트(Vincent)'라는 노래다. 당시 미친 사람 취급을 받으며 자신의 뛰어난 예술 정신을 인정받지 못한 빈센트 반 고흐의 그림을 앞에 놓고, 그를 기리며 만들었다고 한다. 다음은 이 노래 가사의 한 구절이다.

별이 빛나는 밤에
환하게 타오르는 밝은 불꽃들
자줏빛 안개에 휩싸인 뭉게구름,
빈센트의 푸른 눈에 반사되어
그 빛이 바뀌었어요.
황금빛으로 물든 아침의 들녘
고통에 찌들어 주름진 얼굴들
예술가의 사랑스러운 손길에 위로를 받아요

간절한 어조의 노래, '빈센트(Vincent)'를 들으며 한 많은 인생을 살다간 천재 화가, 반 고흐를 기린다.

세상에 공짜는 없다

입행 동기 모임, 팔공회에 참석차 경복궁 근처에 있는 K 식당으로 향했다. 아파트 정원에는 붉은 장미가 활짝 피었고 산들바람이 불어와 신록의 계절을 온몸으로 느꼈다.

지하철 3호선 경복궁역에서 내렸더니, 길거리에는 미소를 머금은 청와대 관광객들로 북적거렸다. 식당에 도착하여 종업원에게 팔공회 모임에 왔다고 말하니 고개를 갸우뚱거리고 야릇한 표정을 지었다. 그 순간 뭔가 잘못되었구나 하는 생각이 뇌리를 스쳤다. 그래서 6월 첫째 화요일에 K 식당에서 모임을 한다는 연락을 받았다고 자세히 설명하자, 그 종업원은 터질듯한 웃음을 억지로 참으면서 "오늘은 5월 마지막 화요일입니다."라고 차분하게 대답했다.

아뿔싸! 내가 날짜를 착각했다. 얼굴이 화끈거리고 창피해 빨리 그 자리를 피하고 싶었다. 고희(古稀)도 되지 않은 나이에 이런 실수를 하다니 정신도 육신처럼 쇠락했다는 생각이 들었다.

어쨌든, 점심 식사는 해결해야 할 일이기에 "저 혼자 식사를 할게요."라고 말하며 식탁 의자에 앉았다. 그러자 종업원이 또 난감한 표정을 짓고, "일단 된장국에 한번 차려볼게요."라고 말했다. 나중에 알게 되었지만, 그 식당은 한정식 음식점이므로 1인 주문은 받지 않는다고 한다. 하지만 실수로 당황하는 나에게 차마 그렇게 말하지 못하는 듯했다.

내가 혼자 식사할 때, 훤칠한 키의 여사장님이 나타났다. 오늘은 기이한 손님이 왔다고 카운터 종업원한테 이미 귀띔을 받은 듯했다. 그는 반가운 표정을 짓고, 어디서 많이 본 인상이라고 은근히 친근감을 나타냈다. 그리고 주방에서 반찬을 추가로 가져와 식탁에 올려놓으며 "우리 고향에는 밥때가 되면 찾아온 손님을 그냥 보내지는 않아요. 많이 드셔요."라고 다정하게 말했다. 내가 고향이 어디냐고 물어보니 김제라고 대답했다.

나는 군 복무 시절, 부안에서 1년간 근무하여 그 근처에 있는 김제에 몇 번 가본 적이 있다. 끝없는 지평선이 보이고 만경강과 동진강이 흐르는 곡창지대로 주민들이 다정다감하다고 기억한다.

식사를 마친 후 식사 값을 지불하려고 했으나 완강히 거절하여 할 수 없이 고맙다는 인사로 대신했다. 여사장님은 "자주 오셔요!"라고 살갑게 말하며 환한 웃음을 지으셨다.

오늘은 참 난감한 일을 겪고 난생처음 식당에서 공짜 점심을 먹었다. 집으로 돌아오는 지하철에서 공짜 점심이 생각나 머리가 다소 혼란스러웠다. 대학에서 경제학을 공부할 때 세상에 공짜 점심이 없다고 배웠기 때문이다. 경제학에서 '공짜 점심은 없다(There is no such thing as a free lunch)'는 말은 아무것도 하지 않으면 무언가를 얻는 것이 불가능하다는 개념이다. 이 말은 자유시장 경제학자, 밀턴 프리드먼(Milton Friedman)이 1975년에 저술한 책의 제목을 통해 더욱 잘 알려지게 되었다고 한다.

시간, 돈, 능력 등 주어진 자원이 제한적인 상황에서 인간은 다양한 기회 모두를 선택할 수가 없다. 따라서 어떤 선택은 곧 나머지 기회들에 대한 포기를 의미한다. 옛말에도 "산토끼 잡으려다 집 토끼 놓친다. 멧돼지 잡으려다 집돼지 놓친다."라는 속담이 있다. 세상에 공짜 점심은 없다는 말과 일맥상통한다.

이 말은 경제학은 물론 대인관계에서도 자주 인용된다. 성경에도 '모든 일에 너희가 대접받고 싶은 대로 남을 대접하라!'는 말씀이 있다. 유대인의 율법서, 탈무드에는 인사를 먼저 하는 것이 중요하다고 한다. 인사도 먼저 하면 상대에게 호감을 나타내는 것으로, 상대도 나에게 덕을 베풀고 축복해 준다고 한다. 또한 상대방을 항상 존중하라고 가르친다. 남에게 덕을 보고자 존중하는 것이 아니라 자신이 떳떳할 수 있는 자기 자리를 위해 상대방을 존중해야 한다는 말이다.

집으로 돌아오는 길에 지하철 양재역에서 내렸다. 개찰구 밖으로 나오는데, 어느 노신사가 지하철표 자동판매기 앞에서 한 청년에게 도움을 청했지만 그 청년은 대꾸도 하지 않고 그냥 지나가는 광경을 목격했다. 순간 오늘 먹은 공짜 점심이 생각나 그 노신사를 돕고 싶었다. 노신사에게 가까이 다가가 "무슨 애로가 있습니까?"라고 물어보니 "지금 압구정역으로 가려고 하는데, 지하철표 구입이 잘되지 않습니다."고 하소연했다. 노신사는 호주 시드니에 사는 해외교포로 오랜만에 조국을 방문했다고 자신을 소개했다. 나는 노신사와 함께 자동판매기를 천천히 조작하여 지하철표를 구입했다. 그는 정중하게 인사하고 급히 승강장으로 내려갔다.

세상에 공짜 점심은 없는가? 어떤 결과를 단기간으로 평가해 볼 때, 공짜는 간혹 있을 수도 있다. 하지만 긴 세월을 놓고 보면 공짜 점심은 존재할 수 없는 세상 이치가 존재한다. 예컨대 기독교 신자가 아닌데 천국에 가기를 갈망한다든지, 불교 신자가 아닌데도 극락으로 가기를 원하는 것은 세상 기본 이치에도 맞지 않다. '공짜 점심은 없다'라는 격언을 늘 가슴에 새기며 이웃을 먼저 존중하고 대접하면 존엄성이 지켜지는 아름다운 인생 마무리도 가능할 수 있겠다는 생각이 났다.

지하철역 입구로 나올 때, 하늘에 높게 떠 있는 해님이 나를 보고 빙그레 웃는 듯했다.

양재천 꽃길을 걸으며

양재천에 새봄이 찾아왔다. 목련, 개나리가 활짝 피었고 벚꽃도 피기 시작해 아름다운 자태를 뽐낸다. 양재천 꽃길을 걸으니 기분이 상쾌해지고 어느덧, 싱그러운 새봄이 왔다고 온몸으로 느꼈다. 사람들은 덕담으로 "꽃길을 걸으세요!"라고 말하는 의미를 이제는 알 것만 같다. 산책길 옆에는 작고 수줍은 봄까치꽃이 무리를 지어 피었고, 보라빛 제비꽃은 요염하게 앉아서 벌과 나비를 유혹한다. 하지만 홀로 핀 샛노란 수선화는 나르키소스 전설 때문에 슬프게 보였다.

사람들은 추운 겨울을 고통에 비유하고 새봄이 올 때까지 참고 견디라고 충고한다. 이토록 아름답고 따뜻한 봄날, 미세먼지의 농도는 '아주 나쁨'이다. 만물이 싹트는 봄날, 잿빛 하늘을 바라보니 봄을 시샘하는 악동이 또 찾아왔다는 생각이 들었다.

까치들은 장난을 치면서 걱정 없는 모습으로 기다리던 봄을 즐기고 있다. 산책을 하는 이웃도 벚꽃에 가까이 다가가 꽃을 유심히 들여다보고 즐거운 표정으로 사진을 찍는다.

나는 꽃이 이렇게 아름다운 것인지 예전에는 미처 몰랐다. 하지만 모두 마스크를 쓰고 산책한다. 미세먼지 탓인지 코로나바이러스 때문인지 마음이 심란하다.

인생은 희로애락(喜怒哀樂)의 연속이라고 한다. 성현이나 철학자는 인간은 고통을 통해 행복을 찾을 수 있다고 하지만, 지금 고통 받는 이웃들을 생각하면 쉽게 수긍하기엔 마음이 편하지 않다. 오늘도 질병과 가난으로 고통받는 많은 이웃들이 시린 가슴을 안고 힘들게 살아간다. 그래서 불교는 인간을 비기(祕器) 즉 슬픈 그릇이라 말하고 생(生)이 고(苦)라고도 한다.

지난 겨울은 모질게도 추웠다. 코로나바이러스와 미세먼지가 한때 사라질 듯했지만 다시 극성을 부려 우리를 더욱 슬프게 한다. 자연은 어김없이 봄꽃을 피웠고 추운 겨울은 어디론가 사라졌다. 이제는 봄의 축제를 즐겨야 한다. 마스크도 벗어 버리고 봄의 향기를 맡으며 비발디 '사계'를 즐겁게 들어야 할 것이다.

고통은 여러 모습으로 우리를 괴롭히지만 추운 겨울이 지나가고 꽃 피는 봄이 어김없이 찾아오듯이 'Song of Joy'를 합창할 날이 곧 올 것으로 믿는다.

양재천의 하루

졸음에 겨운 가로등이 깜박거리고
어둠이 깔린 적막한 양재천
밝은 해가 솟아올라
오늘을 열고 양재천을 깨운다

까치 부부가 둥지를 짓고
철새가 먼산으로 날아가는 양재천
서산에 해가 저녁 노을을 붉게 토하고
보름달이 동산에 떠올랐다

어머니가 장독대 위에 정화수 떠놓고
두손 모아 소원을 빌던 정월대보름
노란 복수초꽃이 잔설(殘雪) 속에 피었다

성묘와 한계령

고향으로 성묘를 가기 위해 아침 일찍 집을 나섰다.

부모님 산소는 삼척시 선산에 있는데, 고속도로를 달려가면 약 3시간이 걸린다. 내 조상은 고려 말, 이성계의 위화도 회군으로 정변이 일어나자 1388년(우왕 14년)에 벼슬을 그만두고 태백산맥을 넘어 삼척으로 피신 온 남양 홍 씨 홍준(洪濬)이라는 분이다. 그래서 삼척지방에는 홍 씨 집성촌이 여럿 있고, 예로부터 선비가 많았다. 한편 산, 바다와 동굴이 한데 어우러져, 경치가 아름답기로 유명하고 역사가 오래된 곳이기도 하다.

나는 성묘를 갈 때마다 산소에는 잔디가 잘 자라는지, 잡초나 쑥이 무성하지 않은지 늘 걱정이 앞선다. 산소에 도착해 주변을 살펴보니 쑥은 별로 없고 민들레와 할미꽃이 유난히 많았다. 얼마전, 누님이 꽃병에 꽂아놓은 노란 수선화가 보기 좋았다. 언제부턴가 슬픈 전설이 있는 수선화가 한국에서도 인기 좋은 꽃이 되었다.

아내는 봉분에 있는 쑥을 뽑고, 나는 잔디밭에 있는 잡초를 제초하였다. 그런데 빗방울이 조금씩 떨어지기 시작하여 서둘러 작업을 마치고 부모님께 큰절을 올렸다. 근처에 있는 집안 어른들 산소에도 인사를 드리고 산에서 내려왔다. 부모님 산소를 뒤로하고 돌아설 때, 부모님께 효도를 제대로 못했다는 죄송한 마음에 늘 발걸음이 무겁다. 비석에 새겨진 묘비명은 20여 년 전 부모님을 기리며 썼는데, 인간은 묘비명만 남기고 귀천한다는 생각이 들었다.

산에서 내려와 쏠비치 콘도로 갔다. 이 콘도는 해변 언덕에 위치하여, 전망이 수려하다. 바로 옆에 깨끗한 모래사장이 있는 삼척해수욕장과 일출 경치로 유명한 추암 촛대바위가 있다. 콘도 레스토랑에서 동해 바다를 바라보며 점심을 먹었는데 맛이 좋았다.

봄비가 내리는 추암 해변을 걸으며 고향이 이렇게 발전하고, 전국에서 여러 여행객이 모여든다는 생각이 들어 흐뭇했다. 콘도 옆으로 보이는 동해항은 아버님이 1970년대 북평읍장으로 봉직 시 건설한 항만이라 그곳을 보면 만감이 교차한다. 추암 해변은 조선시대 도체찰사, 한명회가 경승에 취해 미인의 걸음걸이라는 뜻의 '능파대'라고 했다. 애국가 첫 소절에 나오는 동해의 해돋이 경치가 바로 이곳이다.

추암 해변을 출발해 설악산으로 향했다. 비는 오락가락하고 날씨가 잔뜩 찌푸려 봄의 정취를 느낄 수 없었다. 약 한 시간을 달려서 한계령 초입에 있는 오색 약수터 쪽으로 들어섰다. 오색 약수터 숙박촌에 도착하였는데, 코로나바이러스 때문에 적막한 분위기가 느껴졌다.

나는 한계령을 볼 때마다 '한계령'이란 노래가 생각난다.

가수 양희은이 청아한 목소리로 이 노래를 애절하게 불렀으며 노래 가사는 삶에 지친 고단한 사람을 위로해 준다. 이 노래 가사는 다음과 같다.

'저 산은 내게 우지 마라 우지 마라 하고
발아래 젖은 계곡 첩첩산중
저 산은 내게 잊으라 잊어버리라 하고
내 가슴을 쓸어내리네~

아~ 그러나 한 줄기 바람처럼 살다 가고파
이 산 저 산 눈물 구름 몰고 다니는 떠도는 바람처럼
저 산은 내게 내려가라 내려가라 하네
지친 내 어깨를 떠미네~'

이 노래는 한 시인이 힘든 시기를 겪다가 생을 마감하기 위해, 한계령으로 올라가 굽이친 계곡을 바라보고 쓴 시를 근거로 했다는 이야기가 전한다. 고단함에서도 '울지 말고', '잊고', '내려가' 인생을 다시 살아보라는 메시지를 산과 화자의 대화로 쓴 글이다.

이튿날 아침, 창밖을 내려다보니 봄비가 부슬부슬 내렸다. 오색약수를 거쳐 주전골로 산책할 예정이었으나 어렵겠다고 생각했다. 호텔 식당에서 아침 식사로 초두부 백반을 먹고 있을 때, 귀에 익은 팝송이 흘러나왔다. 1960년대 인기를 한창 누렸던 '어느 소녀에게 바친 사랑(All For the Love of A Girl)'이라는 노래였다. 이 노래는 미국 Johnny Horton이 1959년에 불렀던 곡으로 청춘들이 좋아했다. 1960년대와 70년대에 특히, 한국에서 인기가 좋았다. 이 노래가 끝나자마자 비지스(BEE GEES)의 'First of May(오월의 첫날)' 노래가 흘러나왔다. 한계령 계곡에서 들어보니 더욱 감동적이었다. 아마 내일이 5월 1일이라 특별히 들려준다고 생각했다.

주전골 산책은 다음 기회로 미루고, 속초 해변으로 갔다. 외옹치 해변에 도착할 즈음 비가 멎고 바람도 약해졌다. 나는 속초에 오면 경치가 좋은 외옹치 해변에 가끔 간다. 몇 년 전, L 리조트가 있는 언덕 둘레에 바닷가 산책로를 조성하여 아름다운 바다 경치를 편하게 감상할 수 있다.

외옹치 바닷가를 산책하니 기분이 상쾌해졌다. 파도치는 동해 바다를 바라보면서 세파(世波)가 거친 서울보다 이곳이 오히려 평화롭고 마음이 편안하다고 느꼈다. 하지만 내가 가야할 곳은 가족이 있는 서울이다. 어쩌다 부모님 산소가 있는 고향을 뒤로하고 복잡한 서울로 가야만 하는지….

한계령을 넘어설 때, 산허리에 걸린 흰 구름을 바라보니 인간은 행운유수 같은 나그네라는 생각이 밀려왔다.

비지스(Bee Gees)와 크리스마스

　성탄절이 가까이 다가오자 날씨가 매섭게 추워졌다. 내 고향에는 아담하고 고즈넉한 성당이 언덕 위에 있다. 성탄절 시즌, 성당 첨탑의 십자가는 밤마다 반짝반짝 빛났으며, 동네 아이들은 신기하여 탄성을 질렀다.

　고등학교 시절, 키 작은 향나무에 하얀 솜과 오색 불빛 전구로 장식하여 크리스마스트리를 만들었다. 예쁜 색종이에 푸시킨의 시, '삶이 그대를 속일지라도'를 적어 카드도 만들어 친구들에게 나누어 주었다. 당시 사람들이 즐겨 들었던 캐럴은 펫분의 '화이트 크리스마스'였다.

삼척시 성내동 성당

1970년대 팝송은 전 세계적으로 인기 좋았다. 영국 태생인 배리 깁, 로빈 깁, 모리스 깁, 이 3형제의 록그룹 '비지스 (Bee Gees)'의 노래는 청춘들이 열광적으로 애창했다. 비지스 이름은 브라더스 깁(Brothers Gibb)의 약칭으로 디스코 음악을 창시한 전설적인 그룹이다. '매사추세츠', 'Don't Forget to Remember', '토요일 밤의 열기'와 '오월의 첫날 (First of May)'은 그들이 부른 노래 중 대표적인 것이다.

특히 '오월의 첫날'은 크리스마스 가사 때문에 성탄절에도 즐겨 들었던 곡이다. 근대 팝 역사를 통해 비지스만큼 오랫동안 팬들의 사랑을 받았던 그룹은 없다고 한다. 이들이 발표한 수많은 곡들은 전 세계 팬들로부터 사랑을 받았다.

이 곡은 1969년, 최고의 인기를 누렸던 'I started A joke' 이후 발표한 곡으로 서정미 넘치는 가사는 독창적인 하모니와 완벽하게 어우러져서 아득한 옛 시절의 추억을 떠올린다.

'내가 어릴 때, 크리스마스트리는 내 키보다 컸지요.
다른 친구들이 놀고 있는 동안 우리는 사랑에 빠졌어요.
내게 묻진 마세요. 세월은 흘러가 버린걸요.

누군가 저 멀리서 이사를 왔어요.
이제 우리는 자라서 크리스마스트리가 작게 느껴지고 당신은 나를 더 이상 사랑하지 않네요.
하지만 그대와 나, 우리의 사랑은 영원하겠지만 오월 첫날이 오면 우리는 아마도 눈물짓겠지요'

영국 팝페라 가수, 사라 브라이트만도 청아한 목소리로 이 노래를 불렀다. 이 노래는 옛 추억을 그리워하고 크리스마스 트리와 자신의 키를 비교하여 세월이 흘렀다고 감회에 젖는다. 지금은 더 이상 사랑하지 않지만 어릴 때 사과나무 정원에서 즐겼던 아름다운 사랑을 영원히 잊지 못하고, 오월 첫날이 오면 서로가 눈물을 흘리며 그때를 그리워한다는 노래다. 요즈음 나는 이 노래를 들으면 옛 시절이 생각나 울컥할 때도 있다.

누구나 아름다운 추억은 영원히 잊지 못한다. 그리워할 추억이 있어 삶이 더욱 행복하게 느껴진다. 요즘 코로나19가 다시 기승을 부리고 정치도 혼탁하여 마음이 삭막하고 울적하다. 구세군 종소리도 예전만큼 다정하지 않고 쓸쓸하게 들리는 것은 나이 탓만은 아닌 듯하다. 미국의 연설가이자 작가, 지그 지글러는 "삶 속에서 넘어지는 것은 신에게 달려 있다. 하지만 다시 일어나 앞으로 나아가는 것은 당신의 선택이다."라는 인생 명언을 남겼다.

고요한 밤, 비지스의 '오월의 첫날(First of May)'을 들으며 옛 시절의 성탄절 추억을 회상해 본다.

틱낫한 스님의 삶과 죽음

세계적인 불교 지도자, 틱낫한 스님이 2021년, 향년 95세를 일기로 베트남 뚜 히에우 사원에서 열반했다.

〈화〉, 〈귀향〉과 〈거기서 그것과 하나 되시게〉 등 스님의 저서가 한국에서도 출판되어 베스트셀러의 저자로도 잘 알려졌으며, 몇 차례 한국에 방문한 적이 있다.

베트남 출신, 틱낫한 스님은 시인이자 교사, 평화운동가로 티베트의 정신적 지도자, 달라이 라마와 함께 살아 있는 부처, 영적 스승으로 존경받는 인물이었다.

달라이 라마는 틱낫한 스님의 죽음에 대해 "그는 나의 친구이자 영적 형제다. 마음의 평화를 추구함으로써 세계 평화에 기여할 수 있다는 것을 다른 사람들과 공유했고, 진실로 의미 있는 삶을 살았다."라고 애도했다.

고인은 1926년도 베트남에서 태어나 16세에 출가하였으며, 1950년대에 선원을 세워 베트남 최초로 승려교육 과정에 외국어, 서양철학과 과학을 도입했다. 베트남 전쟁이 과열되자 행동하는 참여불교의 지도자로서 전란 피해자 구제와 평화운동에 앞장섰다.

나는 언젠가 틱낫한 스님의 '설거지를 위한 설거지'라는 글을 읽은 적이 있다. 스님은 "사람들이 설거지를 할 때, 설거지를 위한 설거지를 해야 한다."라고 말했다. 이 말은 설거지할 때, 설거지가 끝났을 때의 깨끗함이나 해방감만을 생각하지 말고, 오로지 설거지에 마음이 머물러 있어야 한다는 뜻이다. 즉 결과에 집착하지 말고 '지금', '여기' 순간을 충실히 살아야 행복할 수 있다는 가르침이다. 지금도 설거지할 때, 이 스님의 말씀이 가끔 떠오른다.

'뉴욕 타임스(NYT)'는 21일 틱낫한 스님의 부고 기사에 삶과 죽음에 대한 그의 어록 하나를 소개했다. '태어남과 죽음은 단지 개념일 뿐이다. 죽음도 없고 두려움도 없다. 그들은 실체가 아니다. 불교 경전, 반야심경은 "이 세상에 존재하는 모든 것이 실체가 없다. 따라서 낳는다고 말할 수 있는 것도 없고, 사그라져 없어졌다고 말할 수 있는 것도 없다."라는 심오한 사상을 전하는 핵심 경전이다. 단순하게 표현하면 삶은 죽음이요, 죽음이 곧 삶이라 처음부터 분별이 없다는 뜻이라 한다.

틱낫한 스님은 인간에게 행복을 위해 필요한 것은 돈이나 물질이 아니라 '고통'이라고 설했다. 수련이 뿌리내린 곳은 진흙이지만 연꽃은 언제나 맑고 향기롭다.

두둥이와 세마리 구피

　지난 8월 어느 날, 손주를 마중하기 위해 SRT 수서역 플랫폼에서 대구에서 오는 열차를 기다렸다. 손주를 만나는 날은 언제나 마음이 들뜨고 설렌다. 대구에 살고 있는 손자, 두둥이가 서울로 올 때마다 마중나가는 SRT 수서역은 만나는 기쁨이 있고 헤어지는 슬픔도 있는 곳이다.

4년 전, 딸네 가족은 서울에서 대구로 이사했다. 서울에서 태어나 자란 딸이 낯선 대구로 이사할 때 마음이 허전하고 더욱이 손주를 자주 볼 수 없게 된다는 사실이 애틋하게 느껴졌다. 사위는 서울에 있는 모 대기업에서 근무하였는데, 대구에서 중소 벤처기업을 운영하는 부친 사업을 돕기 위해 대구로 내려가게 되었다.

기다리던 열차가 경적을 울리며 플랫폼으로 천천히 들어왔다. 두둥이는 열차 안에서 나를 발견하고 두 손을 흔들며 환한 미소를 지었다. 그리고 열차에서 내리자마자 "할아버지!"하고 외치며 달려와 나에게 덥석 안겼다. 나도 두둥이를 반갑게 꼭 껴안아주었다.

두둥이의 해맑은 미소를 볼 때마다 어린이는 하늘에서 보내준 천사라는 생각이 든다. 두둥이는 초등학교 1학년으로 난생처음 여름 방학을 맞이하였다.

집에 도착하여 아내가 정성스럽게 준비한 연어구이를 다 함께 먹었다. 그리고 두둥이와 양재동 꽃시장으로 가, 열대어 구피 세 마리를 샀다. 딸이 어렸을 때도 열대어 구피를 길렀던 추억이 있다. 두둥이는 집으로 돌아올 때 구피 때문에 표정이 더욱 밝아졌고 구피 세 마리가 놀고 있는 어항을 한참 동안 쳐다보며 흡족한 표정을 지었다.

구피는 난태생 송사리과의 민물고기로 몸길이는 암컷이 약 6cm, 수컷은 약 3cm이다. 몸은 가늘고 길며 송사리를 닮았다. 구피는 관상용으로 널리 사육되는데, 우리가 산 구피는 수컷으로 송사리와 거의 비슷했다.

저녁 식사할 때 두둥이가 "할아버지! 잉어가 보고 싶어요."라고 말했다. 양재천은 손주가 아주 어렸을 때부터 즐겨 찾던 놀이터 겸 학습체험장이다. 신록의 계절, 봄에는 개나리와 벚꽃이 만발하고, 태양이 작열하는 여름에는 매미소리가 요란하다. 하늘이 새파란 가을에는 단풍이 붉은 빛깔로 곱게 물들고, 보랏빛의 핑크뮬리는 환상적이다.

두둥이는 유아 때부터 양재천 잉어에 관심이 많았다. 다리 밑에 사는 잉어는 팔뚝만 하고 수십 마리가 옹기종기 모여서 사람이 던져주는 먹이를 덥석덥석 잘 받아먹는다. 어두운 밤, 두둥이 손을 잡고 양재천으로 향했다. 잉어가 살고 있는 다리에 도착하여 밑을 내려다보니 잉어 입이 뚜렷하게 보이고 잉어들은 먹이를 줄 거라고 생각했는지 수십 마리가 몰려들어 오랜만에 나타난 두둥이를 반갑게 맞아주었다.

그 이튿날 아침, 두둥이는 깨어나자마자 구피에게 달려가 신기한 듯이 한참을 바라보았다. 세 마리 구피는 쉬지 않고 늘 활발히 움직였다.

딸과 사위는 모처럼의 기회라 준원이를 데리고 한강시민공원과 용인에버랜드 등을 찾아 휴가를 즐기면서 며칠을 보냈다. 두둥이가 대구로 돌아가는 날, 구피를 집으로 데리고 갈 수 없음을 아쉬워하면서 "구피야, 다음에 다시 만나자!"라고 작별 인사를 했다.

손자가 대구로 떠난 빈자리는 허전했다. 구피를 보면서 그 빈자리를 메우려고 했지만 두둥이 생각이 더욱 간절했다. 그런데 구피들이 노는 모습을 자세히 관찰해 보니 구피 두 마리가 한 마리를 따라다니며 계속 괴롭혔다. 쫓기는 구피의 지느러미는 웬일인지 일부분이 잘려나가고 보기에도 흉측했다.

그다음 날 어항을 들여다보니 쫓겨 다니던 구피가 결국에는 죽었다. 하루 전에만 격리했으면 하는 아쉬운 생각이 들었지만 상황이 이렇게 될 줄은 예상할 수가 없었다. 이제는 어항 속에는 두 마리 구피만 남았다. 남은 두 마리 구피도 서로 싸우면서 놀고 있었다.

먼저 죽은 구피 생각이 떠올라, 두 개의 어항에 한 마리씩 따로 격리했다. 이제 어항 안에는 한 마리 구피만 있어, 서로 싸울 일도 없게 되자 마음이 홀가분해졌다.

며칠 후, 어항 물을 갈아줄 때 구피가 어항 밖으로 튀어나와 바닥에 떨어졌다. 구피를 집어서 어항으로 다시 집어넣었지만 은근히 걱정이 되었다.

다음날 그 구피는 활발하게 움직이지 못하고 동작이 느릿느릿했다. 그리고 며칠 후, 이 구피도 죽었다. 이제 남은 구피는 다른 구피를 공격하던 가장 활발한 녀석이다. 그런데 웬일인지 한 마리씩 격리한 이후부터 이 구피도 예전과 같이 활발하지 않고 어딘가 행동이 둔해 보였다. 이 구피도 곧 죽게 될 것이라는 예감이 들었다. 만일 이 구피마저 죽으면 나중에 두둥이에게 설명하기가 난처해질 수 있다는 생각이 불현듯 뇌리를 스쳤다.

　나는 아내에게 남은 구피 한 마리를 양재천에 풀어주면 좋겠다고 말하자 적극 찬성했다. 아내는 만일 남은 한 마리 구피마저 죽는다면 마음이 괴로울 것이라고 자신의 심정을 토로했다. 아내와 함께 한밤 중에 양재천으로 걸어가 흐르는 물에 구피를 풀어주었다. 우리는 마지막 구피를 양재천에 떠나보내고 마음이 허전하여 한참 아무 말도 하지 않았다. 집으로 돌아올 때 두둥이 얼굴이 머리에 자꾸 떠올랐다. 두둥이가 지금이라도 "할아버지 구피 잘 있어요?"라고 말할 것 같았다.

　마지막 구피가 떠난 양재천에는 예쁜 상현달이 하늘에서 내려다보고 울고 있는 듯했다.

오늘을 사랑하라

오늘은 벼가 한창 익어간다는 입추(立秋)다. 입추는 여름이 끝나고 가을로 접어 들었다는 뜻인데, 올해는 늦더위가 기승을 부려, 그 뜻과는 사뭇 다르게 느껴진다.

어느덧 직장을 은퇴한 지 9년의 세월이 강물처럼 흘러갔다. 30여 년을 근무하고 정년퇴직하여 자랑스럽기도 했지만 벌써 초로(初老)의 나이가 되었다고 생각하니 허허롭기도 하다.

퇴직 후, 일상생활은 큰 변화가 없는 단순한 생활의 반복이라 설레는 감정이 사그라지고, 내일의 꿈도 없는 것 같다. 최근엔 '오늘을 어떻게 살아야 행복한가?'라는 명제를 놓고 그 해답을 찾기 위해 갈급하기도 한다.

영국의 사상가, 토마스 칼라일은 〈오늘〉이란 시에 인생이란 오늘의 연속이라 했으며 지나간 '과거'는 중요하지 않고, 아직 오지도 않은 '미래'를 걱정할 필요가 없다고 말했다.

4세기에 활약한 고대 인도 시인, 칼리다사는 '새벽에 바치는 인사'라는 시에 "알차게 보낸 오늘은 어제를 행복한 꿈으로 만들고, 내일을 희망에 찬 환상으로 만든다. 그러므로 오늘은 잘 보내야 한다."라고 했다. 시인, 칼리다사는 오늘을 잘 산다면 어제도 즐거운 추억이 되고, 미래도 희망찬 환상이 되기에 오늘 충실해야 인생이 행복하다는 뜻이다. 인간은 지나간 과거에 대해 후회와 미련을 버리지 못하고 아직 다가오지 않은 미래에 대하여 막연한 불안감과 공포심을 느끼는 것도 사실이다.

윌리엄 셰익스피어

우리보다 먼저 살다 간 영국의 위대한 극작가, 윌리엄 셰익스피어(1564~1616년)가 남긴 인생 명언을 살펴본다.

"과거를 자랑하지 마라. 옛날이야기밖에 가진 것이 없을 때, 당신은 처량해진다. 삶을 사는 지혜는 지금 가지고 있는 것을 즐기고 다가올 미래에 대한 비전을 가지는 것이다.

아름다움을 발견하고 즐겨라. 약간의 심리적 추구를 게을리하지 마라. 그림과 음악을 사랑하고, 책을 즐기고, 자연의 아름다움을 만끽하라. 삶의 내용이 풍성해질 것이다.

죽음에 대해 자주 말하지 마라. 죽음보다 더 확실한 것은 없다. 확실히 오는 것을 일부러 맞으러 갈 필요는 없다. 그때까지 삶을 즐겨라. 우리는 살기 위해 여기에 왔다."

행복이란 마음에 부족함이 없이 기쁘고 푸근한 상태라고 정의한다. 성경에서는 의(義)에 대한 보상이나 하나님의 은혜로 주어지는 즐겁고 복된 상태를 일컫는다.

인간이 추구하는 궁극적 목표는 행복이다. 인간은 태어나면서부터 운명적으로 생로병사(生老病死)의 길을 걷는데, 이는 확실한 자연의 법칙인 사계절과도 같다. 봄에 싹이 트고 여름에 자라 가을에는 풍성한 열매를 맺듯이 인간도 태어나 자라면서 인생의 결실을 맺는다. 그래서 현자(賢者)는 60~70대가 행복한 시기라고 한다.

하지만 행복은 저절로 얻어지는 것은 아니라 셰익스피어의 명언처럼 지혜를 갖고 노력할 때에 얻어지는 결과다. 성경에도 '청하여라. 너희에게 주실 것이다. 찾아라 너희가 얻을 것이다. 문을 두드려라 너희에게 열릴 것이다.'라는 말씀이 있다.

나는 〈오늘〉이란 시와 〈인생 명언〉을 읽고 직장 정년과 인생 정년이 다르다는 것을 깨달았다. 직장 생활을 은퇴하는 나이는 그간 쌓았던 인생 경험으로 풍성한 삶을 보내는데, 적합하다고 볼 수 있다. 현대인이 존경하는 김형석 철학 교수님도 인생을 지금껏 살아보니 60~70대가 가장 행복한 시기였다고 말씀한 적도 있다.

어제는 역사고, 내일은 미스터리이며 오늘은 선물이라고 한다. 그래서 우리가 현재(present)를 선물(present)이라고 부른다.

눈 오는 저녁 숲가에 서서

고향 친구, K 형과 카페를 막 나설 때 함박눈이 펑펑 쏟아지기 시작했다. 저녁 무렵, 서재에서 양재천을 내려다보니 흰눈이 온대지를 덮고 나뭇가지에도 소복이 쌓였다. 초겨울에 내리는 첫눈은 사람 마음을 설레게 하고, 옛 시절의 추억을 회상하게 하는 묘한 마력이 있다.

학창 시절, 눈 오는 바닷가를 낭만에 취해 걸었던 추억이 떠오르고 나뭇가지에도 눈꽃이 만발한 설악산과 두타산을 올랐던 추억도 아련히 생각났다. 눈 내리면 누구나 그리운 사람이 생각나고 옛 시절의 순수한 감정이 가슴에 밀려온다.

미국의 대표 시인, 로버트 프로스트의 '눈 오는 저녁 숲가에 서서(Stopping by Woods on a Snowy Evening)'라는 시가 있다. 이 시는 1923년에 발표되었고, 배경은 눈 내리는 저녁 숲이다.

눈 오는 저녁 숲가에 서서

이게 누구의 숲인지 알 듯하다.
그 사람 집은 마을에 있지만

그는 보지 못할 것이다
내가 여기 멈춰 서서 자신의 숲에
눈 쌓이는 모습을 지켜보는 걸

내 조랑말은 나를 기이하게
여길 것이다
근처에 농가라곤 하나 없는데
숲과 얼어붙은 호수 사이에서
연중 가장 캄캄한 이 저녁에 길을 멈추었으니

말은 방울을 흔들어댄다
뭐가 잘못됐느냐고 묻기라도 하듯
그 밖의 들리는 소리는 오직 느슨한 바람 따라 부드러운 눈
송이 쓸리는 소리뿐

숲은 아름답고, 어둡고 깊다
하지만 난 지켜야 할 약속이 있고,
잠들기 전에 몇 마일을 가야 한다
잠들기 전에 몇 마일을 가야 한다

　이 시는 아름다운 겨울 숲의 정경을 감상하면서도 삶의 책
임감을 잊지 않는 화자의 견실한 태도가 깊은 공감을 불러일
으키는 서정시다. 프로스트의 대표 작품 중 하나인 이 시는
그가 개인적으로 가장 좋아하는 시라고 밝힌 적이 있다. 프로

스트는 자신이 거주하는 뉴햄프셔와 버몬트 지방을 배경으로 주변 자연과 농촌을 있는 그대로 세밀하게 시에 옮기는 묘사적이고 관찰적인 사실주의를 취하면서도 단순히 묘사하는 것에 그치지 않고 명상을 통해 인간 삶의 문제들을 통찰력 있게 관련시킨다.

이 시도 역시 눈 내린 겨울 숲의 정경을 천천히 묘사하면서 서정성을 자아내지만 사회적인 책임감을 일깨우는 윤리적인 태도를 보여준다. 이처럼 프로스트는 자연을 단순히 감상적이거나 관념적으로 다루지 않고 노동하고 사고하는 인간과 관련시켜 '삶의 해명'으로서의 그의 시관(詩觀)을 견지한다.

눈 쌓인 깊은 숲길로 하루 일을 마치고 귀가하던 농부는 농가도 없는 호수 근처에 말을 세우고 눈 내리는 정경을 바라본다. 눈 오는 숲은 어둡고 근처에 농가도 하나 없어 적막하지만 농부는 이처럼 눈 내리는 밤에 숲이 고요하고 아득한 전경에 매혹되어 언제까지나 서서 바라보고 싶어 한다.

그러나 인간이 느끼는 이러한 미적 체험을 이해하지 못하는 말은 길을 재촉하는 듯이 마구에 달린 방울을 계속 흔들어댄다. 그 밖에 들리는 소리라곤 '오직 느슨한 바람 따라 부드러운 눈송이 쓸리는 소리뿐'에서 숲의 고요함이 적절하게 표현되었다.

이곳에 언제까지나 머무를 수 없는 그에게는 지켜야 할 사회적 약속이 있고 가야 할 길이 멀다. 마지막 연의 '숲은 아름답고 어둡고 깊다'에서 깊은 숲속의 고유한 아름다움을 감각적으로 전달한다. 그리고 다음에 두 행에 걸쳐 '잠들기 전에 몇 마일을 가야 한다'라는 말을 반복하여 이러한 미적 체험을 뒤로하고 자신의 삶과 사회적인 책임을 위해 떠나야 하는 아쉬움을 효과적으로 전달하고 있는 것이다. (출처: 낯선 문학 가깝게 보기)

일기예보에 의하면 내일 아침까지 폭설이 내린다고 한다. 폭설이라는 말에도 걱정은 오간데 없고 오로지 순수한 어린이처럼 마음이 설렌다. 사람들의 얼룩지고 상처 난 마음을 흰눈으로 깨끗하게 씻어 주고, 옛적 아름다운 추억을 떠올리며 웃음 짓는 밤이 되었으면 좋겠다.

눈 내리면 동심으로 돌아가는 것은 아직도 마음이 청춘이고 젊었다는 뜻이라 생각하니 입가에 미소가 슬며시 흐른다.

민들레꽃

피곤한 하루일을 마치고
집으로 돌아오는 길

아파트 마당에 핀
한 송이 민들레가 나를 보고 반긴다

돌 틈에 뿌리박고
해맑게 웃음 짓는 노오란 민들레꽃

인생이 힘들면 민들레를 보고
참고 살아가라고 한다

오늘도 민들레는 홀씨되어
먼 곳으로 날아가는 꿈을 꾼다

웃음과 행복은 전염된다

가을이 성큼 우리 곁으로 다가왔다. 양재천에 활짝 핀 코스모스가 가을바람에 하늘거리고, 순백의 메밀은 은은한 향기를 풍기며 무르익어 간다. 집 근처 늘벗공원에는 이웃들이 운동을 하거나 의자에 앉아 휴대폰을 들여다보고 있다. 아장아장 걷는 아기가 나를 쳐다보고 방긋 웃었다. 그래서 내 마음이 금방 환하게 밝아졌다. 어느 작가는 "아기가 방글방글 웃는 것을 보고, 마음이 밝아지지 않으면 휴식을 취할 때다."라고 말했다.

70년대 초에 고등학교를 다녔는데 그 당시 영어 교과서, 'Standard English'에는 '웃음은 전염되고 잔인하다.'라는 글이 있었다. 웃음이란 내 주변의 사람이 웃으면 나도 따라 웃게 되고, 누가 실수로 넘어지는 것을 보면 웃음이 저절로 나온다는 이야기다. 즉, 웃음이란 전염되고, 잔인한 속성도 있다는 뜻이다.

평생 길 위에서 힘들게 일하고 사색한 미국의 사회 철학자, 에릭 호퍼(Eric Hoffer)는 "웃음은 잔인하다."라고 말했다. 하지만 웃음은 종류와 원인에 따라 다양한 의미를 지니고 있으므로 웃음의 일반적 속성을 나타내는 말은 아니라고 생각한다.

웃음이란 웃는 행위와 표정, 소리 등을 아우르는 말로, 만족이나 기쁨의 일시적인 표현이다. 웃음은 사람의 마음을 나타내는 방식 중 하나고, 사회적 존재로서 인간이 지닌 생존 본능이라고 한다.

웃음 유발의 원인은 신체 반응, 심리 반응, 감정 반응이다. 웃음은 답답하고 힘든 현실의 일상에 에너지를 제공하여 정신생활에 좋은 영양소를 공급하는 활동으로 스트레스 해소 및 기분전환의 계기가 된다고 한다. (출처 : 상담학 사전)

하버드 대학이 수학과 의학과학으로 증명하는 인간관계의 비밀을 밝힌 서적, 'CONNECTED(행복은 전염된다)'가 2011년에 출간되었다. 저자는 '니콜라스 크리스태키스'와 '제임스 파울러'이다. 이들은 "사람들을 이해하는 열쇠는 그들 사이의 유대관계를 이해하는 데 있다."라고 했으며 추론과 과학을 결합해 사회 속에 숨겨진 집단지성의 놀라운 힘을 밝혀냈다.

심리 실험을 통해 밝혀낸 3단계 모방법칙에서 바로 연결된 1단계 친구가 행복할 경우 당사자가 행복할 확률은 15% 더 높아지고, 2단계 거리에 있는 사람(친구의 친구)에 대한 행복 확산 효과는 10%, 3단계 거리에 있는 사람(친구의 친구의 친구)에 대한 행복 확산 효과는 6%, 4단계에서는 그 효과가 거의 없다고 한다. 결론적으로 말하면 주변 사람이 행복하면 나도 같이 행복해진다는 것이다.

또한 행복 바이러스는 거리와도 직접적인 관계가 있다고

밝혔다. 행복감을 느끼는 친구가 바로 옆에 살면 내가 행복할 가능성이 약 34% 증가하고, 행복을 느끼는 친구가 1.6km(1마일)안에 살면 내가 행복할 가능성이 약 25% 증가하고, 행복감을 느끼는 형제자매가 근처에 살면 내가 행복할 가능성이 약 14% 증가한다고 한다.

행복에 대한 가장 인기 있는 정의는 주관적 안녕감이다. 안녕이란 평안하다는 뜻으로, 즐거움이라기보다는 오히려 특별한 사건이 없는 편안한 상태를 의미한다. 여기에는 직장, 건강, 가족 등 다양한 분야에서 자기 삶에 대한 만족도가 중요하다고 한다. 물론 슬프고 괴로운 사람이 자기 인생에 만족할리 없고 만족감에는 기쁨과 같은 긍정적인 감정이 필요하다. 그래서 행복이란 일반적으로 만족과 즐거움을 느끼는 상태라고 정의한다.

행복하게 살려면 긍정적인 사람이나 행복한 사람이 옆에 있어야 한다. 주변 사람들이 행복하면 내가 행복해지고, 나도 이웃에게 행복을 전염시켜주는 주체도 될 수 있다. 성경 말씀에도 지혜로운 사람과 함께 다니면 지혜를 얻지만, 미련한 사람과 사귀면 해(害)를 입는다고 한다.

고대 그리스 철학자, 아리스토텔레스는 "벗이란 무엇인가? 두 사람의 육체에 사는 한 영혼이다."라고 말했다.

미세먼지와 카르페 디엠

오늘 아침, 대모산이 흐릿하게 보였다. 미세먼지 농도는 '나쁨'이고, 초미세먼지도 '매우 나쁨'이다. 퇴직자도 은근히 기다려지는 일요일인데, 미세먼지 때문에 기분이 그리 산뜻하지 않았다.

'삼한사미'는 몇 년 전, 우스갯소리로 생겨난 신조어다. 하지만 최근 방송에서도 이 말을 공공연히 쓰는 사실로 짐작건데, 삼한사미 자연현상이 확실히 자리를 잡았으며, 이 문제가 이른 시일 내에 해결될 수가 없겠다고 생각한다.

법정 스님은 심각한 자연의 훼손을 걱정하면서 이렇게 말했다. "만신창이가 되어서 앓고 있는 자연은 곧, 우리가 병을 앓는 것이요, 자연의 신음 소리는 우리의 신음 소리임을 알아야 합니다. 왜냐하면 나 자신이 자연의 일부이기 때문입니다."

요즘은 정치 경제와 함께 날씨마저 사람을 괴롭히는 형국이라 안타깝기만 하다. 내 친구 카톡창에는 '카르페 디엠'이 적혀 있다. 이 말은 지금 이 순간을 충실히 살아가라는 뜻이고, '현재를 즐기며 살아가라!'라는 의미로 해석할 수 있다.

카르페 디엠(Carpe diem)은 로마 시대, '호라티우스'의 라틴어 시에서 전해지는 말인데 영어로 번역하여 'Seize the day(현재를 잡아라)'라고도 잘 알려졌다. 호라티우스의 詩 "현재를 잡아라. 가급적 내일이란 말은 최소한만 믿어라."의 한 부분 구절이다. 이 시에서 '미래란 알 수 없는 것'이라고 하는데 송가(訟歌)에서 유래된 말이라고 한다.

영화 '죽은 시인의 사회'에서 키팅 선생, 로빈 윌리엄스가 학생들에게 자주 이 말을 외치면서 더욱 유명해졌다. 영화에서의 이 말은 전통과 규율에 도전하는 청소년들의 자유정신을 상징한다. 키팅 선생은 미래라는 미명하에 현재 삶의 낭만과 즐거움을 포기해야만 하는 학생들에게 지금 살고 있는 이 순간이 무엇보다도 확실하며 중요한 순간임을 일깨워준 것이다.

새해가 밝았다. 직장에서 퇴직한 지 어느덧, 8년의 세월이 강물처럼 흘러갔다. 지난 수십 년간 직장 생활에 얽매여 때로는 은근히 은퇴를 손꼽아 기다렸다. 그런데 퇴직 후, 특별한 경험이나 성취감을 느껴보지도 못한 채, 시간은 빠르게 흐르고, 하루의 일상이 현재 우리가 겪는 사회적 문제와 겹치면서 더욱 허허롭게 느낀다. 최근에는 시간을 함께 보낸 동료들이 하늘나라로 떠나가는 모습을 옆에서 지켜보며, '카르페 디엠'이란 말이 가슴에 와닿고, 쉬지 않고 흐르는 시간이 야속하게 느껴진다.

사실, '카르페 디엠'은 로마의 옥타비아누스가 이집트의 여

왕 클레오파트라와의 전쟁에서 승리를 이끌어내고, 시인 호라티우스가 시집에 쓴 글이다. 그동안 끔찍한 전쟁을 겪으면서 슬픔과 공포에 떨었던 로마 시민들이 이제는 마음 편히 쉬어도 된다는 의미였다.

미세먼지와 코로나바이러스가 사라지고, 정치와 경제도 안정을 되찾아서 온 국민이 '카르페 디엠'을 크게 외칠 수 있는 날이 오기를 기원한다.

이 또한 지나가리라

오늘은 강남역 부근 식당에서 직장 친구 몇을 만났다. 모두가 건강한 모습이었으나, P 친구는 요즘 약물 치료를 받으며 투병 생활을 하고 있다.

그는 건강 이야기를 하면서 "여러분은 건강한 자신을 감사하게 생각해야 합니다."라고 말했다. 이어서 한 친구가 "인간은 세 가지 부류가 있다고 합니다. 감사할 일이 있을 때, 감사하는 사람, 감사할 일이 없어도 감사할 줄 아는 사람, 감사할 일이 있지만 감사하지 않는 사람이 있어요."라고 대답했다

우리는 각자 자신이 어떤 부류의 사람인지 마치 생각을 해보는 듯, 침묵이 엄습했다. 그런데 P 친구는 "인간은 누구나 한 번은 죽습니다. 그런데 매일 부정적인 생각을 하면서 절망하는 것은 매일 죽는 것과 다를 것이 없지요."라고 충고했다. 자신은 지금 투병 생활이 힘들지만 '이 또한 지나가리라!'라는 솔로몬의 명언을 가슴에 새기며 부정적인 생각을 이겨낸다고 한다.

기독교 믿음이 신실한 또 다른 친구가 "사람은 죽음을 두려워할 이유가 없으나, 두 번째 죽음은 반드시 두려워해야합니다."라고 차분하게 설명했다. 두번째 죽음이란 사후, 하늘나라에서 받는 심판이라고 이해한다. 불교 신자인 한 친구는 자신

이 죽으면 윤회하지 않고, 적멸 속으로 스러져가고 싶다는 자신의 속마음을 토로했다. 만일, 사람으로 다시 태어나 생로병사의 인생길을 다시 걷는 것은 매우 두려운 일이라고 설명했다.

"이 또한 지나가리라!"라는 명언은 이스라엘의 2대 왕, 다윗 시대의 이야기로 그 내용은 다음과 같다.
'전쟁에서 승리한 다윗 왕은 크게 기뻐했다. 그래서 반지를 만들어 기념하고자 장인을 불러 멋진 반지와 함께 멋진 글을 반지의 새기라고 명령했다.
장인은 반지를 만들었지만, 멋진 글이 생각나지 않았다. 그때 지혜의 왕자, 솔로몬에게 그 고민을 말하자, 솔로몬 왕자는 한 치의 망설임도 없이 "이 또한 지나가리라!"라고 말했다. 이 얼마나 멋진 말인지 다윗 왕은 크게 기뻐하고 장인에게는 큰 상을 내렸다고 전한다.'

이 또한 모두 지나간다는 세월의 교훈은 인간이 큰 절망에 빠져 낙심할 때, 결코 좌절하지 않도록 스스로에게 용기와 희망을 줄 수 있고, 또한 우리가 행복감에 크게 도취되어 자만하거나 교만해질 때에도 자신을 돌아보고, 새로운 곳에 도전할 수 있는 자신감과 소망을 꿈꾸게 한다.
나는 죽음이란 두려워할 일이 아니지만 죽어가는 과정이 두려운 것이라고 생각한다. 사람은 후회 없이 살았다는 신념과 존엄성이 유지되고, 죽음의 과정도 깔끔해야 아름다운 마무리가 될 수 있겠다. 사실 잘 죽어야 하는 것도 하늘의 심판이나 윤회의 과보처럼 중요한 일이다. 죽는 순간까지 주위 사람에게 좋은 인상을 남기고, 고통스럽지 않게 하늘나라로 떠나는 것은 우리 모두의 바람이다.

하지만 인명재천(人命在天)이라 죽음은 인간이 스스로 해결할 수 없으며, 미경험, 미지각의 영역이다. 그래서 인간은 죽음을 신의 영역이라 여기고 자신의 소원을 절대자, 즉 신에게 의지하며 기도하는 것이다. 종교의 기원은 오래이고, 그동안 많은 질적 변화를 거쳐 왔다.

현대 사회에서도 인간은 종교를 통해 행복을 추구하는 것은 예나 지금이나 크게 달라진 것은 없다. 친구들의 종교는 기독교, 불교 등 다양하다. 한 친구는 어느 종교가 남에게 피해를 주지 않고, 미풍양속을 해치지 않는다면 그 종교는 존중받아야 하며 누구도 남의 종교를 비난할 자격이 없다고 말했다.

나는 종교란 인간의 죽음에 대한 두려움과 살아가면서 겪는 정신적 고통을 극복하는데, 큰 도움이 될 수 있다고 믿는다. 신의 영역은 인간의 짧은 지혜로 이해할 수 없으며, 행복은 각자의 마음속에 있기 때문이다.

모임을 마치고 집으로 돌아올 때, 아파트 정원을 바라보니 그토록 화려하게 피었던 영산홍꽃이 어느새 시들었다. 요즘 유행하는 대중가요, '바람의 노래'에 이런 가사가 담겨 있다. '세월 가면 그때는 알게 될까? 꽃이 지는 이유를'

마음의 징검다리

　K 직장 동료가 자신이 출간한 수필집을 보내왔다. 이 책의 제목은 '시간의 징검다리'로 지난 인생을 회상하고 쓴 자전적 수필집이다. 인간은 누구나 보고 들은 수많은 기억들이 삶의 고단함 때문에 잊혀 있다. 슬픈 일, 기쁜 일, 자랑하고 싶은 일과 부끄러운 일도 시간의 징검다리를 건너며 밝은 햇볕을 쬐고 싶었을 것이다.

　다리는 강이나 내를 건널 수 있게 해주는 구조물이다. 문학에도 이 말을 인용하여, 마음을 이어주는 징검다리의 서정(抒情)이 널리 펴져 있다. 예로, 민속 설화에 나오는 오작교는 칠월 칠석에 견우직녀가 만날 수 있도록 까마귀와 까치가 놓은 지상과 천상을 연결시켜주는 상상의 다리다.

　예술세계에서 다리를 소재로 한 작품은 여럿 있다. 프랑스 인상파 화가인 클로드 모네의 작품, '수련'에는 수련이 피어난 연못과 일본식 나무다리가 그려져 있다. 1969년, 폴 사이먼이 작사 작곡하고 사이먼 앤 가펑클 레코드가 밀리언 셀러를 기록한 '험한 세상의 다리가 되어 (Bridge Over the The Troubled Water)'라는 팝송은 1970년대, 청춘들로부터 선풍적인 인기를 누렸다.

인간은 다리와 밀접한 관계를 유지하고 생활한다. 그리고 다리에 대한 추억은 각자 살아온 환경에 따라 다양하다. 내 고향에는 오십천 시냇물이 굽이굽이 흐른다. 그래서 인근 마을로 건너다니던 외나무다리가 많았다.

나는 초등학교 시절, 죽서루 건너편 가람 광장으로 소풍을 갈 때 외나무다리를 조심조심 건넜던 추억이 가끔씩 떠오른다. 그 다리에서 시냇물을 내려다보면 귀여운 물고기와 둥글고 하얀 조약돌이 선명하게 보이고 햇빛에 반짝이는 윤슬은 마치 한 폭의 그림이었다. 추석 무렵, 준경묘(이성계 5대조 이양무 장군묘) 근처에 있는 증조부 산소에 성묘를 갈 때, 오십천 외나무다리를 건넜다. 어느 해는 홍수로 다리가 떠내려가 친척들과 손을 잡고 시냇물을 건넜던 추억도 생각난다.

몇 년 전, 샌프란시스코를 여행할 때, 금문교를 걸으며 60~70년대에 유행하던 팝송, 'San Francisco'를 불러보았다. 세상의 다리는 시간이 흐를수록 더욱 멋지고 세련되게 발전해 왔다. 그런데 이 세상에서 가장 아름다운 다리는 사람과 사람의 마음을 연결하는 마음의 다리라고 한다. 가슴과 가슴을 잇닿는 거리가 멀어지면 삶은 상처가 되고 지쳐간다는 것이다.

나는 양재천 공원을 산책할 때 수시로 징검다리를 건너다닌다. 시냇물에 놓여 있는 돌다리는 언제 보아도 친구처럼 다정하고 믿음직하다. 비바람이 세차게 불어도, 눈발이 휘날려도 양재천을 건너는 사람을 위해 늘 그 자리를 굳세게 지키고 서 있다. 사람들이 양재천 돌다리를 딛고 건너는 모습을 바라보면 이타심이 생각나고 나 자신을 한번 뒤돌아본다.

매화꽃이 피었다는 새봄 소식이 전해온다. 매섭게 추웠던 올겨울, 추위에 떨었던 돌다리도 지금은 새봄이 왔다고 느끼고 있는 듯하다.

현대인은 자신과 타인 사이에 벽을 두고 살아가는 사람이 많다고 한다. 미국의 여성 정치가 안젤라 데이비스는 "벽을 눕히면 다리가 된다."라고 말했다.

양재천 징검다리

태백산

　내 고향은 관동팔경 죽서루가 있는 삼척이다. 그곳은 내가 태어나 자랐으며 희로애락이 늘 교차하였지만, 어머니 품속같이 늘 포근하다. 영동지방의 소도시, 삼척은 태백산맥이 감싸고 앞으로는 넓고 푸른 동해 바다가 펼쳐져 있다. 삼척시 성내동에 자리잡은 죽서루는 태백산맥을 바라보며 오십천의 높은 절벽 위에 우뚝 서 있다.

　어느 도시를 가든지 그곳 학교들의 교가를 살펴보면 그 도시의 역사와 특징이 잘 나타난다. 내가 어릴 적 다녔던 삼척 국민(초등)학교 교가는 다음과 같다.

　태백산맥 줄기에 정기를 받고
　관동팔경 죽서루 솟아 있는 곳.
　오십천 맑은 물 바라보면서
　빛나는 역사 가진 우리 학교는
　삼척 교동 언덕에 우뚝 서 있네
　삼척 교동 언덕에 우뚝 서 있네

　이 교가는 삼척은 태백의 정기가 서려있고, 죽서루 아래에 흐르는 맑은 오십천이 흐른다고 한다. 송강 정철은 죽서루를 바라보고 "죽서루 아래 흐르는 오십천이 태백산 그림자를 담아 동해로 들어가니, 차라리 이 물줄기를 목멱(남산)으로 돌리고 싶구나!"라고 예찬했다. 고려시대, 문인 이승휴는 높은 관직을 버리고 어머니를 모시기 위해 삼척으로 낙향했다. 그리고 두타산 줄기에 있는 천은사(天恩寺)에서 우리 민족의 대서사시 '제왕운기'를 저술하였으며 죽서루를 창건했다.

오늘 아침, 고향 친구가 태백산 설경이 담긴 동영상을 보내왔다. 눈 내린 겨울 경치가 아름답고, 노래도 소리새의 '그대 그리고 나'였다. 내가 즐겨 듣는 노래라 더욱 기분이 상쾌했다. 그런데 그 친구는 태백산에 한 번도 가본 적이 없다고 말했다. 사실, 나도 태백산에 가본 적이 없다고 고백했다. 고향에서 태백산에 가려면 교통이 불편하고 또한 서울에서도 쉽게 갈 수 있는 거리는 아니다.

하지만 또 한 친구는 태백산의 눈 내린 경치가 너무 좋아서 몇 번을 다녀왔다고 자랑했다. 그리고 우리에게 강원도가 고향인 사람들이 아직도 태백산에 가보지 않았다고 핀잔을 주고, 태백산 설경 사진을 보내왔다. 나는 "영국 속담에 구두장이 마누라는 신발을 신지 않고 맨발로 다닌다."라고 장난으로 대꾸했다.

친구는 태백산의 아름다운 모습을 보고 올해 한 번은 가보자고 제안했다. 태백산은 태백산맥에 있는 모산이고 하늘, 땅과 인간을 숭배해온 고대 신앙의 성지다. 그곳은 영산(靈山)이라 천제단이 있고 역사적으로 하늘에 제사를 올리며 인간의 소원을 빌어왔다.

　금년에는 고대 신앙의 성지, 태백산을 꼭 찾아가 내 소원을
빌어보고 싶다.

손흥민 선수와 성공의 법칙

2022년 5월 23일(한국시간) 영국 노리치의 케로 로드에서 열린 2021~2022시즌 잉글랜드 프리미어리그(EPL) 최종 38라운드 토트넘과 노리치시티의 경기에서 손흥민(30 토트넘)이 후반 30분 아크 왼쪽에서 오른쪽 감아차기 슛으로 리그 23호 골을 뽑아냈다.

손흥민의 득점왕 등극을 지켜보기 위해 약 154만 명이 밤잠을 설쳤다고 한다. 자정을 넘은 심야 시간인데도 TV 순간 최고 시청률은 6.8%까지 치솟았다. 축구팬들은 우리는 EPL 득점왕 손흥민 보유국이라며 환호했다.

체육 철학자인 김정효 서울대 외래교수는 조국 교수와 정호영 보건복지부 장관 후보자 등은 '아빠 찬스' 논란으로 국민에게 실망을 안겼지만 대조적으로 손흥민 부자는 '아빠 찬스의 전형'이자 '아빠 찬스는 이래야 한다'는 걸 보여줬다. (출처 : 중앙일보)

1992년 7월 강원도 춘천에서 태어난 손흥민은 동북고 1학년 때, 2008년 대한축구협회 우수 선수로 선발되어 독일로 축구 유학을 떠났다. 이후 2009년 10월 나이지리아에서 열린 국제축구연맹(FIFA) 17세 이하(U-17) 월드컵에서 3골을 터뜨리며 두각을 나타냈고, 함부르크 유소년 팀에 입단하여 유럽 무대로 진출했다.

그는 독일 진출 첫해인 2010년 6월 곧바로 함부르크 1군에 합류했는데, 2012 ~ 2013년 시즌까지 3년간 함부르크에서 뛰면서 78경기 20골의 기록을 남겼다. 18세였던 2010년 12월 처음으로 성인 대표팀에 발탁됐고, 이후 2014년 브라질 월드컵, 2015년 아시안컵, 2016년 리우 올림픽 등 주요 대회에서 빠짐없이 대표팀 공격을 책임졌다. 2013 ~ 2014년 시즌부터는 레버쿠젠으로 이적해 87경기에서 29골을 터뜨리며 주전 선수로 자리매김했다. 그러다 2015년 8월 잉글랜드 프리미어리그 도트넘으로 이적해 수년간 눈부신 활약을 보이면서, 리그를 대표하는 공격수로 발돋움했다.

축구팬은 물론 많은 국민들이 손흥민의 경기를 보고 열광적으로 환호하는 이유는 무엇일까? 누구는 "손흥민 선수를 집중해서 보면 경기가 잘 풀릴 때 너무도 행복한 표정을 짓는다. 그런 모습을 보면 나도 모르게 위안을 받는다."라고 말했다. 한편, 손흥민 선수의 눈부신 활약에서 아픈 청춘들이 희망을 갖고, 공정하게 성공한 손흥민 선수를 통해 긍정과 마음의 위안을 느낄 수 있다고 한다.

'나'보다 '우리'라는 공동체 의식으로 팀을 먼저 생각하고 상대방도 손흥민을 적극 도우려 했던 진솔한 우정이 감동을 준다. 어느 시청자는 "1골 차 득점왕 경쟁에도, PK 양보하는 손흥민을 보고 "울컥했다"고 말했다. 즉, 실력이 세계 최고인데도 겸손한 자세가 더 큰 매력이라는 것이다.

나는 얼마 전부터 신문과 TV를 거의 보지 않는다. 아침에 신문을 보면 정치는 혼탁하고, 경제는 침체 국면에 진입하여 공정과 희망을 보기란 쉽지 않았다. 하지만 23일, 손흥민 아시아인 첫 EPL 득점왕 기사를 읽으면서 나도 울컥했다. 손흥민 선수의 활약은 물론이고 "손흥민의 축구에는 어떠한 반칙이나 불공정도 없었다."라는 아버지 손웅정 씨의 말에도 큰 감동을 받았다. 아무리 개인의 타고난 재능이 있어도 혹독한 노력과 주변의 도움 없이 크게 성공하기란 결코 쉽지 않다.

미국 루스벨트 대통령의 고문관을 지낸 나폴레온 힐이 출간하여 베스트셀러가 되었던 '성공의 법칙(The Law of Success)'의 주요 내용은 다음과 같다.

'세상에는 명예와 금전이라는 큰 포상을 주는 것이 있는데, 솔선수범이 그것이다. 솔선이란 무엇인가? 그것은 누가 말하지 않아도 스스로 하는 것이다.

열정이란 어떤 일을 하고 싶도록 만드는 마음가짐을 말한다. 열정은 단순한 말장난이 아니라 모든 일에 있어서 도움이 되는 근원적인 생명력이다.

주변의 성공하는 사람들을 잘 살펴보라. 그들은 어떤 일을 할 때 중요한 핵심을 적절히 사용할 줄 안다. 결국 열심히 일만 한다고 해서 얻어지는 것이 성공이 아니다.

성공이란 다른 사람의 권리를 침해함이 없이 인생에서 원하는 것을 이룰 수 있게 해주는 힘의 개발이다.'

축구 전문가들은 손흥민 열풍이 더 이어질 것으로 전망한다. 곽금주 서울대 심리학과 교수는 "손흥민 선수는 실력으로나 인성으로나 팬들의 기대를 크게 저버린 적이 없다. 코로나 시국을 지나며 힘들고 팍팍한 일상을 지냈던 젊은 세대가 손흥민 선수를 통해 사회에서 느끼지 못한 신뢰와 믿음이라는 감정을 느낄 수 있다."라고 말했다.

손흥민 선수가 땀과 열정으로 이뤄낸 성공에 찬사와 박수를 보낸다. 또한 긍정, 희망의 아이콘, 손흥민이 우리 가슴에 영원히 남아 있기를 기원한다.

양재천 하늘의 별

밤하늘 별이
양재천에 쏟아지면
고통스런 육신을 벗고
하늘로 떠난 벗이 그립다

내 눈물이 아직 다하지 않았는데
초가을 소나기 내 가슴에 무너진다

해가 지면 별이 떠오르듯
여름 매미는 떠나가고
가을 귀뚜라미가 구슬프게 울어댄다

동백과 청춘 스케치

동백

서슬 푸른 눈보라 속에
뜨거운 마음 걸어두고
소리 없는 웃음으로
그대를 생각합니다

나직한 돌담 그늘에 누워
까마득히 잊힐지라도
동그랗게 웃으며
그대를 사모합니다

외로움 모두 내려놓고
눈부신 초록 눈물로
핏빛 상처를 씻으며
그대만을 그리나니

저녁놀 붉고 붉어도

봄으로 가는 바람 속에
흩어지는 나의 노래
그대를,
오직 그대만을 사랑합니다

　김미자 시인이 쓴 시로, 2019년 '강릉사랑문인회'가 발간하
는 문예지인 '강릉 가는 길'에 발표했다. 그는 2012년, '창작
수필'에 수필로 등단했으며 2019년에 '도라지 꽃밭에서'라는
시로 '문학시대'에 등단한 시인이자 수필가다.
　이 시는 2월 초, 제주도를 여행하며 눈 속에서 활짝 핀 동
백꽃을 바라보고 자신의 마음을 시로 읊었다고 한다. 인생을
살아오면서 겪은 좌절과 고통을 참고 이겨내는 과정을 잘 묘
사했다. 어려운 난관을 극복할 수 있는 한 줄기 희망은 그대,
즉, 절대자인 하느님을 가리킨다고 본다.
　매 연마다 '그대를 생각합니다, 사모합니다, 사랑합니다'라
고 표현한 시구를 헤아려 볼 때, 하느님에 대한 시인의 간절
한 의지와 믿음이 시간이 흐를수록 더욱 강해지고 성숙함을
느낄 수 있다. 게다가 세상일이 힘들고 괴로워도 믿음과 소망
이 있으면 무난히 극복할 수 있다는 긍정의 메시지를 바람
속에 살고 있는 우리들에게 던져준다.

　나는 대학 시절, 이 시인과 함께 농촌마을에 하계봉사활동
을 다녀온 적이 있다. 70년대 중반 산골마을 분교에서 숙식하
며 일주일을 함께 보냈다. 봉사활동에 필요한 기금은 일일찻

집을 운영하여 마련했고, 남녀 대학생 30여 명이 농촌을 돕기 위해 순수한 마음으로 고향 근처 산골마을에서 봉사활동을 한 것이다.

최근에 우연히 '문학시대'에 실린 '청춘 스케치'라는 시를 읽어 보고, 시인이 청춘 시절에 다녀온 봉사활동을 제재로 시를 썼다고 금방 알 수가 있었다. 이 시는 다음과 같다.

　　청춘 스케치

카톡 창에 뜬
빛바랜 사진 한 장에
단숨에 수십 년을 뛰어넘는다

그래 그랬었...었지
산골마을 분교 앞 개울가
검게 그을린 땀투성이들
괭이며 삽을 든 채 웃고 있다
영영 떠나버린 친구도
이름이 생각나지도 않는 친구도
그날 그 순간
앳된 모습 그대로 웃고 있다

희끄무레 낡고 얼룩진
흑백 사진 한 장이 일으키는

싱싱한 바람을 따라나서면
푸르던 그 시절로 돌아가려나
다시 돌아갈 수 있으려나

얼마전, 나도 그 빛바랜 사진을 보았다. 사진을 자세히 들여다보니 이미 저세상으로 떠난 친구도 있고, 현재 생사조차 알 수 없는 친구도 있지만 모두가 웃고 있는 젊은 시절의 앳된 모습들이다. 시인는 아마도 그 시절을 회상하면서 '청춘 스케치'라는 시를 썼다고 생각한다.

그 봉사활동을 다녀온 지 벌써 40여 년의 세월이 흘렀다. 시인이 발견한 흑백사진 한 장이 몰고 온 바람으로 그 시절의 청춘이 생각났지만, 이제는 다시 돌아갈 수 없다는 시인의 애틋한 마음이 시의 마지막 연에 잘 나타나 있다. '다시 돌아갈 수 있으려나'라고.

누구나 청춘의 아름다운 추억이 있고 나이가 들수록 그 시절이 더욱 그리워진다. 빛바랜 사진 속에 웃고 있는 친구들이 그리운 것은 세월 탓만은 아닐 것이다. 김미자 시인과 옛 친구들이 행복하게 잘 살아가기를 진심으로 기원한다.

슬픈 섬, 마라도

"이제 시작입니다. 끝은 돌아서면 새로운 시작이기 때문입니다. 그렇게 다시 시작합니다. 마라도는 우리 땅 끝이 아니라 우리 땅의 시작입니다. 한라에서 백두까지 그렇게 마라도는 시작입니다. 마라도에 서면 희망이 보입니다." 마라도 성당의 설립자. 민성기 요셉 신부님이 쓴 '마라도 영성'이라는 글이다.

제주도 여행 열흘째, 아들이 휴가차 제주도에 내려와 우리 부부 여행에 합류했다. 우리는 송악산항에서 여객선을 타고 마라도에 갔는데, 약 35분이 걸렸다.

마라도는 대한민국의 최남단에 있는 작은 섬으로 모슬포항에서 11km 떨어져 있다. 해안선의 길이는 4.2km이고, 최고점은 39m로 주민수는 약 100여 명이다. 1883년(고종 20), 대정에 살던 김 씨 일가가 개간 허가를 받아 입도하면서부터 마을이 형성되었다고 한다.

이 섬은 제주목사가 귀양살이를 보낸 사람이나 해산물을 채취하기 위해 오는 사람들이 임시로 거주했다. 개척 이전, 인근 육지에 사는 사람들이 다소 신비하게 여겼으나 정작 입도를 꺼리는 섬이었다. 당시 대정 마을 주민들은 망종(6월 6일경) 이전, 마라도에 들어가면 흉년이 온다고 믿었다. 그때에는 살림이 울창하고 해산물이 풍부했다. 한겨울, 파도가 심한 이곳을 드나드는 것은 불가능한 일이었다. 하지만 망종이 지나면 날씨가 좋아지면서 바람이 적게 불고 파도가 잔잔해져서 이 시기에 마라도에 상륙하여 나무를 베고 해산물을 채취했다. (출처: 한국의 섬)

마라도에 도착해 약간 비탈진 길을 따라 올라가니, 여럿 짜장면집이 눈에 띄었다. 주요 메뉴는 톳짜장과 돌미역짬뽕으로 TV에 나온 음식점이 많아 유명세를 치르고 있었다. 우리도 한 음식점에 들어가 톳짜장면을 시켜 먹었다. 그리고 식당 근처에 있는 '할망당(애기업개당)'으로 갔다. 이곳은 마라도의 대표적 민속문화 유적인데 할망은 해녀들이 바다에서 고된 물질을 할 때, 안전하게 보살펴주는 신으로 믿어 왔으며, 지금도 정성껏 모시고 있다.

약 150여 년 전, 모슬포에 사는 해녀들이 풍선을 타고 마라도에 들어왔다. 찢어지게 가난한 시절, 아기를 많이 낳아 먹고살기가 힘들었을 때였다. 바다에서 전복과 해산물을 잡으며 물질을 해야 하는데, 우는 아이를 돌보아줄 사람이 없어 애를 돌볼 열네 살짜리 여자아이, 애기업개도 태워서 왔다. 그런데 며칠 동안 풍랑이 거세 섬을 빠져나갈 수 없었다.
하루는 우두머리 해녀가 꿈을 꾸었다. 애기업개를 제물로 바쳐야 바다가 잠잠해져 이 섬에서 나갈 수 있고, 그렇지 않으면 모두 죽을 거라고 했다. 결국 해녀들은 마음이 아프지만 그 열네 살짜리 애기업개를 두고 돌아가기로 결정했다. 한 해녀가 "네가 달려가 바위에 걸린 저 기저귀를 거둬 오너라!"라고 말하자 애기업개가 기저귀를 가지러 간 사이, 해녀들은 애기업개를 마라도에 떼어놓은 채 목놓아 부르는 소리를 뿌리치고 노를 저어 마라도를 떠나버렸다. 그날 풍랑은 잠잠해져 해녀들이 모슬포로 무사히 빠져나갈 수 있었다. 계절이 한차례 바뀌어 봄에 해녀들이 다시 마라도에 갔을 때, 그 애기업개는 모슬포가 보이는 언덕에서 앉은 자세로 뼈만 앙상하게 남아 죽어 있는 것을 발견했다고 한다.

할망당(애기업개당)

마라도 할망당제는 매달 음력 초이렛날 이곳 해녀들이 빠짐 없이 찾는다. 평소 꿈자리가 좋지 않거나 집안에 불행한 일이 일어나면 할망당으로 간다. 할망당에 갈 때 제물로 쌀밥 한 그릇과 과일, 생선 한 마리, 떡과 술을 올린다. 그리고 소원을 빌면서 제주 할망신에게 도움을 청한다. 어느 섬이나 전설이 있지만 마라도 주민들이 수시로 할망당으로 가, 제사를 지내며 집착하는 것은 척박한 땅에서 고단함을 함께 해온 할망신이 자신들의 고충을 잘 이해할 수 있을 것이라 믿었기 때문이다. 할망당 안을 들여다보니 불 켜진 초가 여러 개 있었다.

할망당을 지나가자 못자리 두 곳이 나타났다. 비석에는 '처사 김공지묘(處士 金公之墓)'라고 각각 새겨져 있다. 아마도 최초 입도한 김 씨나 그의 후손의 묘라고 생각했다. 힘든 농사일을 하면서도 글을 읽은 선비였는데, 이곳을 벗어나지 못하고 마라도에서 생을 마감한 것으로 보인다.

마라도는 전통신앙을 믿고 사는 사람이 많다. 하지만 이곳엔 교회, 성당과 절이 하나씩 있다. 기원정사 입구에 '국토 최남단 해수관음성지'라는 간판이 붙어 있다.

성당은 마라도 해역에서 많이 잡히는 전복과 문어와 소라를 형상화하여 디자인했다고 한다. 성당입구에 이 성당을 설립한 민요셉 신부님의 초상화가 눈에 띄었다. 왠지 외롭고 쓸쓸한 모습이다. 어떤 연유로 신부님이 마라도에 왔는지 알 수는 없고, 57세를 일기로 2004년에 선종하셨다. 꼰벤뚜알 프란치스코 수도회 소속의 신부님이다.

성당 입구에서 성경 이어쓰기를 하고 있었는데, 아들은 한참 동안 성경을 노트에 옮겨 적었다. 성당은 아름답고 소박한 느낌을 주었으며, 여러 관광객이 찬찬히 둘러보고 있었다.

마라도 성당

성당을 지나가자 마라도 유인 등대가 눈에 보였다. 마라도 등대는 일제강점기, 1915년 3월에 처음 불을 밝혔으며, 밤바다를 항해하는 선원들에게는 희망의 불로 불린다. 세계 각국의 해도(바다지도)에 제주도는 표기되지 않아도, 마라도 등대는 표기될 정도로 중요한 의미를 갖고 있는 곳이다.

마라도를 천천히 걸으면서 둘러보니, 약 한 시간이 걸렸다. 나는 이 섬에 오기 전, 마라도는 평화롭고 아름다운 섬이라고 생각했다. 그런데 할망당의 안내문을 읽는 순간, 눈물이 핑 돌았다. 전설이라고 하지만 사실에 가까운 이야기라고 문헌에도 기록되어 있다.

가난한 집에서 태어난 것도 가련한데, 14세 어린 나이에 마라도에서 제물이 된 어린 애기업개를 생각하면 가슴이 애잔하다. 인간의 약한 마음을 위로하기 위해 민속신앙의 필요성도 부정할 수는 없겠지만 이로 인해 발생하는 부작용이 안타깝기만 하다. 1960년대 정부는 미신타파 운동을 벌여서 할망당을 폐쇄한 적이 있다. 하지만 해녀들이 복구하여 다시 할망신을 섬겼다고 한다. 그만큼 해녀들의 불안한 마음을 달래주는 토속신앙이 어릴 때부터 마음속 깊이 자리 잡고 있기 때문일 것이다.

나무와 새가 없는 쓸쓸한 마라도. 전기와 물이 귀하고 가뭄으로 고생하며 힘들게 살았던 외딴섬. 옛날에는 농사와 해산물 채취로 생계를 꾸려갔는데 지금은 짜장면집과 횟집, 그리고 해산물을 채취하면서 생계를 이어간다. 옛날이나 지금이나 노력하지 않으면 살아갈 수 없는 세상 이치는 크게 달라진 것이 없다.

슬픈 섬, 마라도 음식점 앞에서 큰소리로 호객하는 주인을 바라보고, 삶의 역경을 극복하는 외침이라고 느꼈다.

슬픈 천재 매월당 김시습

　어느 사람이 한양 거리에서 영의정, 정창손과 마주쳤다. 그는 정창손을 향해 삿대질을 하면서 "정창손 같은 놈들 때문에 정치가 제대로 될 수 있겠는가?"라고 고래고래 소리치자, 정창손이 눈치를 보면서 쭈뼛쭈뼛하고 물러섰다. 저 미친 사람을 건드렸다가 무슨 봉변을 당할지도 모른다는 생각에 발길을 돌려서 그곳을 피했다. 이때 소리치던 자가 바로 생육신의 한 사람인 김시습이다.

　슬픈 천재로 불리는 매월당 김시습의 본관은 강릉 김 씨고, 어머니는 울진 장 씨다. 한양 성균관 근처에서 1435년에 태어났다. 어릴 때부터 매우 영민하여 만 3세의 어린 나이에 다음의 시를 지어 어른들을 놀라게 했다.

　복사꽃은 붉고 버들은 푸르러
　3월은 이미 저물었네
　푸른 침으로 구슬을 꿰니
　솔잎의 이슬이구나.

　이 소문을 듣고 당시 정승인 허조가 찾아와 내가 늙었으니

늙을 노(老)를 넣어서 시를 지어보라고 청하자 '늙은 나무에 꽃이 피었으니 마음은 늙지 않았네!'라고 지어 허조를 놀라게 했다.

신동이라는 소문이 퍼져서 임금 세종이 친히 다섯 살 난 아이를 불러 시를 짓게 했다. 시험을 맡은 박이창이 병풍에 그려진 강변에 접한 정자와 배를 가리키며 시를 지어 보라고 하자 '작은 정자, 배 매인 집에는 누가 사는가?'라고 시를 지었다. 강변에 살던 박이창이 감탄하여 '동자의 학문이 마치 백학이 하늘 끝에서 춤추는 듯하다'라고 스스로 시를 짓고 댓구를 지어보라고 말하자 김시습은 '어진 임금의 덕이 마치 황룡이 푸른 바다를 뒤엎는 듯하다.'라고 답하여 모두를 놀라게 했다. 이에 흡족한 세종은 신동을 칭찬하고 비단 50필을 상으로 주었으며 이때부터 사람들은 오세동자라고 불렀다.

이처럼 어려서부터 명성을 날리던 김시습은 15세에 어머니가 돌아가시면서 인생의 역경이 시작된다. 어머니 산소에서 3년 동안 시묘살이를 한 김시습은 아버지의 재혼으로 외가에 맡겨졌다. 그 무렵 김시습은 훈련원 도정, 남효례의 딸을 아내로 맞았지만 결혼 생활 또한 순탄치 않았다.

21세에 삼각산 중흥사에서 공부를 하던 중 수양대군이 단종을 내몰고 왕위에 올랐다는 소식을 듣고 통분하여 하던 공부를 접고 책도 모두 불태워 버렸다. 그리고 스스로 머리를 깎고 스님이 되었다. 승명이 설잠이다.

사육신은 단종 복위를 꾀하다가 발각되어 죽음으로 절개를 지켰지만 생육신은 살아있으면서 귀머거리나 소경인 체하며 벼슬길을 권하는 세조의 부름을 거역하면서 단종에 대한 절개를 지켰다. 승려가 된 김시습은 9년간 전국 방방곡곡을 방황했다. 그 방황의 결과로 탕유관서록, 탕유관동록, 탕유호남록을 정리하여 그 후지(後志)를 썼다.

세조 9년에 세종의 형인 효령대군의 권유로 세조의 불경언해사업을 도와 내불당에서 10일간 교정을 보기도 했다, 그러나 잠시 한양에 머물렀을 뿐 김시습은 한양을 떠나 경주 남산에 금오산사를 짓고 칩거했다. 이때 그의 나이 31세였으며 매월당이라는 호를 썼다. 김시습은 37세까지 경주 남산 부근에 살았는데, 그곳에서 우리나라 최초의 한문소설인 금오신화를 집필한 것이다.

금오는 경주 남산 가운데 금오봉을 가리킨다고 한다. 금오신화의 다섯 이야기는 우리나라의 구체적 시공간을 배경으로 설정하고 우리나라의 시공간 속에서 구속을 당하는 사람들을 등장인물로 설정했다. 금오신화 외에도 많은 시편을 유금오록에 남겼다.

37세 때에는 세조와 예종이 죽고 성종이 즉위하자 서울로 올라와 수락산 수락정사 등에서 10년간을 생활했으나 구체적인 행적은 알 수가 없다. 10년이 지난 47세에는 머리를 기르고 고기도 먹었다. 안 씨의 여성과 결혼하여 환속하는 듯했으나 나라가 혼란스럽자 관동지방으로 다시 방랑의 길을 떠났다. 강릉, 양양, 설악 등을 유람하며 지방 청년들을 가르치고 유유자적한 생활을 보냈다. 이때 쓴 100여 편의 시가 관동일록에 수록되었다. 이후 정처 없이 떠돌아다녔고 1493년 59세에 부여에 있는 무량사에서 병사했다. 유해는 불교식으로 다비를 한 후 유골을 모아, 그 절에 부도로 안치했다.

그는 생시에 자기의 초상화인 노소 이상을 스스로 찬(讚)까지 붙여 절에 남겨두었다고 했지만 현재는 매월당집에 '동봉자화진상'만이 인쇄되어 전한다. 작은 키에 뚱뚱한 편이고 성격이 괴팍하고 날카로워 세상 사람들로부터 광인처럼 여겨지기도 했으나 배운 바를 실천한 인물이다. (출처 : 인물 한국사)

천재 문인 김시습의 일생을 알고난 후 많은 생각이 들었다. 최초의 한문 소설을 썼고 시도 시문집에 전하는 것만 2,200편에 달한다. 또한 그의 시 가운데서 역대 시선 집에 뽑히고 있는 것도 20여 수에 달해 그의 뛰어난 문학적인 천재성을 말해주는 대목이다.

우리나라 사상가 중에서 김시습처럼 일생 동안 자기 사상을 체화하고 실천하려고 노력한 사람은 없다고 한다. 김시습은 이 세상을 지식으로 살아가는 게 아니라 인간의 영혼과 정신으로 살아간다는 것을 가장 절실하게 보여준 인물이다. 김시습은 당대 최고의 유학자는 아니지만 불교의 철학적 사유를 유교의 이상과 연결하려고 고심했던 철학자다. 율곡은 김시습이 겉모습은 승려였지만 일상을 유학자로 살았다고 김시습 전기에 썼다.

김시습은 절의를 지킨 샛별 같은 존재라고 한다. 그에게는 항상 맑은 청(淸) 자가 따라다닌다. 정조는 청간이라는 시호를 내렸으며 김시습 본인도 청한자라는 호를 사용했다. 청한자는 맑고 한가로운 사람이라는 뜻이다. 세간의 명예나 오욕에서 벗어나 스스로 이념을 지키면서 살아가고자 하는 의지를 담고 있다. 김시습은 가만히 앉아서 시주를 받아먹는 승려나 비단옷을 입고 과거 공부만 하면서 노비를 거닐고 다니는 양반들을 싫어했다고 한다. 김시습은 하루 일하지 않으면 하루 먹지 말라는 선종의 핵심 정신을 실천한 인물이다. (출처: 인문학 명강, 심경호)

김시습이 서른한 살 때 경주로 가, 금오신화와 많은 시를 썼는데, 왜 경주 남산에 머물렀는지 궁금하다. 어떤 학자들은 김시습은 원효에게서 삶의 길을 발견했다고 한다. 경주 남산에 머물면서 원효의 비를 보고 성(聖)과 속(俗)을 넘나들며 매임이 없었던 신라의 승려 원효의 삶을 추모하였고 그도 그렇게 하였다고 한다.

나는 김시습의 조상이 태종 무열왕의 6대손, 김주원(강릉 김 씨 시조)이기 때문에 자기 뿌리에 대한 애착이 컸고, 어머니 품속 같은 위안을 얻기 위해 경주에 가지 않았을까? 하고 생각해 보았다.

그는 가정적으로 불행했다. 15세 사춘기에 어머니가 세상을 떴고 아버지는 재혼하였으며, 그의 첫 번째 결혼생활도 원만하지 못했다. 그가 어린 시절을 회고하며 쓴 아버지를 원망하는 글이 있다. "아버지는 병약하고 어머니는 일찍 돌아가셨다. 어머니가 돌아가신 뒤에는 새로운 여인을 얻고 나를 돌보지 않았다."

그는 부모님의 사랑을 많이 받지 못하고 유년 시절을 보냈다. 이러한 환경은 유학의 길로 매진해도 그의 허전한 가슴을 채우기엔 부족함이 있었을 것이다. 김시습은 유학자인지 스님인지에 대한 궁금증과 논란이 있다. 매월당, 동봉, 청한자란 호가 있지만 설잠이란 승명을 갖고 절에서 생활까지 한 스님이었다. 그가 마지막 세상을 보냈던 무량사에서 쓴 글에 설잠이란 승명 대신에 열경이란 자를 썼다.

그는 본인의 의지로 성과 속을 넘나들은 유학자이자 스님이라고 엿볼 수 있는 그의 처신이다. 시대의 상황에 따라 속(俗)에서는 유학을 공부하였으나 산사에서는 불경을 공부하여 '십현담요해' 등 귀중한 불교 서적을 저술했다. 한편 도교 사상을 바탕으로 장자와 노자도 연구했다. 따라서 그는 유불도(儒佛道)를 연구하고 그 가르침대로 실천한 참다운 철학자라고 볼 수 있다. 김시습은 목숨을 걸고 구도자의 길을 걸었다. 남들이 천재라고 칭송하여도 아직까지 절대 진리에 도달하지 못한 것을 늘 반성하는 인간적인 고뇌의 모습을 보여주었다.

영동지방을 여행할 때 가끔 경포대(鏡浦臺)를 찾아간다. 그리고 경포대 옆에 있는 '김시습 기념관'을 바라보면 한 인간으로서 외롭고 슬픈 인생을 살았던 천재 매월당 김시습이 생각나 마음이 애틋해진다.

오월과 어머니 은혜

오늘은 어버이날이다. 어버이날은 자신을 낳아주시고 길러주신 아버지와 어머니의 은혜를 기념하여 제정한 날로, 예전의 어머니날을 어버이날로 확대하여 현재에 이른다. 어머니란 성경에 다음과 같이 기록되어 있다.

'어머니는 아이를 잉태하고 고통 중에 출산하지만, 그 자녀로 인해 고통을 잊어버린다. 낳은 자녀를 양육하며 그 뒤를 보살펴주고 신앙의 후견인이 된다. 자녀로 인해 영광을 받기도 하고 욕을 먹기도 한다. 따라서 자녀는 어머니를 공경하고 순종하며 기쁘게 해 드리고 봉양해야 한다.'

어버이날이 오면 하늘나라에 계신 부모님 생각에 늘 마음이 울적하다. 부모님 생전에 효도를 하지 못한 한(恨)이 아직도 내 가슴에 남아 있다.

1998년 2월 어느날, 어머니가 변비 증세가 심해 신체검사를 받으셨는데 그 결과, 병명이 대장암이었다. 나는 암이라는 말을 듣는 순간, 가슴이 먹먹하고 눈앞이 캄캄했다. 오래 사실 수 어렵겠다는 불길한 생각도 뇌리를 스치고 지나갔다. 나는 당시 을지로 입구에 있는 외환은행 본점에서 근무하였는데, 매일 퇴근 후 어머니가 계시는 서울아산병원으로 갔다.

몇 달이 지나도 어머니 병세는 호전되지 않았고, 얼마나 더 오래 사실지 주치의 조차 몰랐다. 그래서 인생이란 한 달은 물론, 하루도 매우 소중하다는 것을 절실히 깨달았다.

　저녁 무렵, 잠실철교를 건너서 서울아산병원으로 갈 때, 무심(無心)하게 흐르는 한강을 바라보면서 인생이 덧없고 허무하다는 생각이 엄습했다. '인간은 도대체 어디서 왔다가, 어디로 떠나가는 것일까?' 이 명제를 화두로 그 대답을 찾는데, 갈급하기도 했다. 그리고 점차 수척해지는 어머니 얼굴을 보며, 내 마음속에 품었던 희망의 불씨도 점점 사위어갔다. 결국, 어머니께서는 이 병을 극복하지 못하시고 신록의 계절, 오월에 하늘나라로 떠나셨다.

　나는 애통한 마음으로 고향 선산에 어머니 유택을 마련하였고, 어머니 은혜를 기리기 위해 묘비명을 다음과 같이 썼다.

　'근검절약(勤儉節約)과 인덕(仁德)을 신조로 평생을 살아오신 어머님을 영원히 기리고자 자원동 양지바른 언덕에 이 비(碑)를 세웁니다. 1927년 음력 5월 6일에 태어나 지극한 아내와 자애로운 어머니로 평생을 사셨으며, 1998년 음력 4월 2일에 유명(幽明)을 달리하셨다.'

　수필가이자 영문학자인 피천득은 '오월'이란 수필에 신록의 계절, 오월을 이렇게 묘사했다.

'오월은 금방 찬물로 세수를 한 21살 청신한 얼굴이다. 하얀 손가락에 끼어 있는 비취가락지다. 오월은 앵두와 어린 딸기의 달이요 오월은 모란의 달이다. 그러나 오월은 무엇보다도

신록의 달이다. 전나무의 바늘잎도 연한 살결같이 보드랍다.'

　맑고 순결한 신록의 아름다움에서 젊은 날의 외롭고 쓸쓸한 죽음의 기억을 떠올린 작가는 그 죽음의 이미지에 대비되어 신록의 싱그러운 생명력이 더욱 찬란하고 아름답게 느껴진다고 노래했다.

　나는 오월이 순결한 신록의 계절이며, 봄꽃이 만발하는 계절의 여왕이라고 생각한다. 하지만 어머니가 돌아가신 달이라 그리움이 사무치는 오월이다. 어머니 생전에 사랑한다는 말씀을 한 번도 해드리지 못해 더욱 애틋한 오월이다.

　지금이라도 꿈속에서 어머니를 만나면 "어머니 사랑합니다. 감사합니다!"라고 꼭 말씀드리고 싶다."

알렉산더 대왕과 공수래공수거

사람들은 인생의 무상함을 느낄 때 '공수래공수거'라는 말을 떠올리고 인간의 운명을 탓하기도 한다. '공수래공수거'는 불교의 영가 법문에 실린 시구(詩句)로 인간은 태어날 때, 빈손으로 온 것처럼 죽을 때도 빈손으로 간다는 뜻이다. 인간이 평생 내것으로 알고, 애지중지 아끼던 재물, 명예, 권위도 죽을 때는 가져갈 수 없기에 탐욕을 부리지 말고 초연하게 살아야 행복하다는 가르침이다.

얼마전, '알렉산더 왕'이란 영화를 보았다. 일반인에게 정복자로 잘 알려진 그는 13살 때부터 3년간 아리스토텔레스의 제자로서 철학, 의학, 예술을 배웠으며 20살에 마케도니아 왕위에 올랐다. 동방을 정복하는 전쟁 중에도 하루 30km 이상 행군하지 않고 남은 시간에는 독서를 게을리 하지 않은 지적 청년으로 전쟁 역사상 가장 뛰어난 천재였다.

정복자로 승리했던 알렉산더 왕은 33세에 세상을 떠났다. 그는 죽음 앞에서 그에게 행복해 보였던 그리스 거지 철학자 디오게네스를 떠올리며 "나는 아무것도 갖지 못했다."라고 말하면서 눈물을 흘렸다. 그리고 대신들에게 "나를 장례식장으로 옮길 때, 관 밖으로 두 손이 나오도록 하여 왕마저도 죽음

앞에는 빈손으로 간다는 것을 모든 시민들에게 보이게 하라."고 명령했다. 당시 전통과 맞지 않은 의식을 치르도록 지시한 젊은 알렉산더 왕은 세속적인 욕심보다 따뜻한 햇볕을 소중하게 생각한 거지 철학자인 디오게네스로부터 많은 것을 깨달은 현자(賢者)였다.

불교는 생(生)이란 한 조각 구름이 일어나는 것이요, 죽음(死)은 그 구름이 흩어지는 것이라고 설(說)한다. 즉 그 구름 자체도 원래 존재하지 않는 것임을 깨달아야한다는 가르침이다.

나는 '알렉산더 왕'이란 영화를 보고 오늘 하루도 감사한 마음으로 살아야 한다고 생각했다. 그 이유는 나는 거지 철학자 디오게네스보다 많은 것을 소유하고, 알렉산더 왕보다도 더 오래 살아온 것은 분명 감사한 일이기 때문이다.

최근에 코로나바이러스로 말미암아 사회, 경제가 불안하고 혼란하다. 하루의 생활이 피곤하고 무기력할 수도 있지만 솔로몬의 "이 또한 지나가리라!"라는 명언을 가슴에 새기며 내일의 희망을 꿈꾼다.

가을밤과 어머니

가을빛이 짙어가는 양재천을 산책할 때 고향 친구 어머니가 별세하셨다는 부고를 받았다. 어느덧 내 나이가 고희가 되고 보니 죽음이 생소하거나 어색하지는 않다. 나이가 많아지면 누구나 죽는다는 자연의 섭리를 마음의 큰 부담 없이 받아들이는 것 같다. 최근에는 학교 동창이나 친구 부인이 운명했다는 부음을 접하게 되어 백세시대라고 하지만 죽음이 우리 곁으로 가까이 다가오고 있다는 사실을 실감하게 된다.

이 부고를 받고, 붉게 물든 단풍잎이 가을바람에 하나둘씩 떨어지는 모습을 바라보니 인간과 낙엽의 신세가 비슷하다는 생각이 문득 뇌리를 스치고 지나갔다.

장례식장은 강남에 있는 한 대학병원이고 여러 번 문상 갔던 익숙한 곳이라 덤덤한 마음으로 그곳을 향해 집을 나섰다. 고인은 향년 90세로 비교적 건강하게 장수하셨고 칠 남매 자식들도 반듯하게 성장하여 행복한 인생을 보내셨구나 하는 생각도 들었다.

장례식장에 도착하니 입관 예절이 진행되고 있었다. 이 예절은 유가족이 직접 고인의 모습을 마지막으로 볼 수 있는 시간으로 살면서 가장 슬픈 순간이라고 말할 수 있다. 성당에서 오신 신부님이 고인께서 주님 품에서 평안하시길 빈다는 기도가 끝나자 친구의 동생, 김 교수가 어머니가 그리울 때마다 불렀다는 〈가을밤〉이라는 노래를 어머니께 불러드렸는데 유족들의 흐느끼는 소리와 함께 슬픈 분위기를 자아내어 눈시울이 붉어졌다.

외로운 밤 벌레 우는 밤~
초가집 뒷 산길 어두워질 때
엄마 품이 그리워 눈물 나오면
마루 끝에 나와 앉아 별만 셉니다~

가을밤 고요한 밤 잠 안 오는 밤~
기러기 울음 소리 높고 낮을 때
엄마 품이 그리워 눈물 나오면
마루 끝에 나와 앉아 별만 셉니다~

18세 어린 나이에 고향을 떠나 어머니가 그리울 때마다 이 노래를 부르며 마음을 달랬다고 한다. 어머니에 대한 사랑과 효심이 크다는 것을 새삼 확인할 수 있었다.

사실 나를 낳아주시고 길러주신 부모님 은혜를 그 무엇으로 보답할 수 있겠는가? 불교경전, 〈부모 은중경〉에는 부모의 은혜가 한량없이 크고 깊음을 설하여 그 은혜에 보답할 것을 가르친다. 부모님의 은덕을 생각하면 자식은 아버지를 왼쪽 어깨에 업고 어머니를 오른쪽 어깨에 업어서 수미산을 백천 번 돌더라도 그 은혜를 다 갚을 수 없다고 설하였다.

문상을 마치고 집으로 돌아올 때 가을밤 하늘에 빛나는 별을 바라보았다. 인간은 이 세상과 작별하면 영혼은 별나라로 간다는 말이 떠오르고 25년 전, 하늘나라로 떠난 어머니가 그리웠다. 나는 어머니 생전에 "감사합니다, 사랑합니다."라는 말을 해드린 적이 없다. 만일 "어머니 사랑합니다!"라는 말을 한 번만이라도 해드렸으면 어머니께서 무척 좋아하셨을 텐데….

죽음이란 고인의 연세에 불문하고 무척 슬픈 일임에 틀림없다. 사랑하는 가족들 그리고 익숙한 일상과 영원히 헤어진다고 생각하면 아득한 느낌인 것은 누구도 부인할 수 없는 사실이다.

하지만 어느 철학자는 인간은 무덤을 향하는 존재라고 했으며 프랑스의 사상가, 몽테뉴(Montaigne, M.)는 그의 수상록에서 이렇게 말했다. "어디에서 죽음이 우리를 기다리고 있는지 모른다. 곳곳에서 기다리고 있지 않겠는가! 죽음을 예측하는 일은 자유를 예측하는 일이다. 죽음을 배운 자는 굴종을 잊고 죽음의 깨달음은 온갖 예속과 구속에서 우리를 해방시킨다."

밤하늘에 반짝이는 별을 보면 인간이 죽으면 육신과 영혼이 분리되어 영혼은 지구를 떠나 새로운 별로 자유롭게 여행을 한다는 말을 믿고 싶다.

친구 어머니 장례식을 다녀오고 며칠 후, 친구 형제들이 어머니 산소에서 삼우제를 지내고 다함께 〈어머니 은혜〉를 합창했다는 소식이 들려왔다. 그런데 김 교수는 오늘밤도 엄마 품이 그리워 〈가을밤〉 노래를 부르며 밤하늘 별만 세고 있을 것 같다.

죽음, 최상의 법문

    매화꽃이 벌써 피었다는 새봄 소식이 들려왔다.

    잎보다 꽃이 먼저 피는 매화는 새봄을 가장 먼저 알리는 전령이다. 친구들은 기다리던 봄이 왔다고 매화꽃 사진을 보내오고, 들뜬 기분으로 봄맞이 준비를 하고 있는 것 같다. 올해, 친구 몇은 고희를 맞는다.

    고희(古稀)는 두보의 시, '곡강이수(曲江二首)'에 있는 '인생칠십고래희(人生七十古來稀)'에서 유래한 말로 예로부터 70세까지 산 사람이 드물었다는 뜻이다. 얼마전, 죽음에 대한 다음의 글을 읽고, 인생이 덧없고 허무하다는 생각이 들었다. 소설가 최인호는 인기 소설가였고, 애플 창업을 한 스티브 잡스는 정보기술 발전에 공헌한 세계적인 인물이었다. 이 두 사람은 암으로 투병 생활을 하였지만 결국, 생을 일찍 마감했다.

    "모든 생명은 죽음을 향해 간다. 우리가 먹는 음식, 우리가 누리는 쾌락, 우리가 보내는 시간 속 어디에도 죽음이 독처럼 녹아 있다. 그럼에도 우리는 죽음이 자기와 상관없는 남의 일인 것처럼 잊어버리고 있을 뿐이다. (최인호 소설, '길 없는 길' 중에서)

    죽음을 생각하는 것은 무엇을 잃을지도 모른다는 두려움에서 벗어나는 최고의 길이다. 아무도 죽기를 원하지 않는다. 천국에 가고 싶다는 사람조차도 죽어서까지 가고 싶어 하지 않는다. 그러나 죽음은 우리의 숙명이다. 아무도 피할 수 없다. 그리고 그래야만 한다. 언젠가 죽는다는 사실을 기억하라. 그러면 당신은 정말 잃을 게 없다. 죽음은 삶이 만든 최고의 발명품이다. (스티브 잡스, '스탠퍼드 대학 졸업식 연설문' 중에서)"

　나는 죽음의 진리를 정확히 알 수는 없지만, 내 나름대로 정의하자면 '죽음은 끝이요, 시작이다.'라고 생각한다. 즉, 죽음은 육체의 소멸이자 영혼의 새 출발이다. 나무는 봄에 새싹이 트고 자라서 가을에는 열매를 맺는데, 나뭇잎은 떨어져 땅속으로 사그라진다. 인간이 겪는 생로병사(生老病死)의 인생도 이와 같다. 둥근 보름달이 차차 사그라져 그믐이 되면 거의 사라지고 다시 초승달로 되살아난다. 이것은 돌고 도는 세상 이치와 같다. 인간이 죽어서 지풍수화(地風水火)로 사그라져도 그 자손은 계속 태어나고 자라고 있다. 따라서 인간은 영원히 사라지는 것이 아니다.

　오늘은 아버님 기일(忌日)이다. 아버님은 고희를 한참 채우지 못하고 죽음을 맞이하셨다. 한평생 공무원으로 봉직하셨고, 6.25 전쟁 때, 북한 인민군에게 붙잡혀 총에 맞았으나 기적적으로 깨어나셨다. 1.4 후퇴 때에는 어린 장남을 저세상으로 보낸 슬픔을 가슴에 안고 살아오신 분이다.

아버님이 귀천하신 날, 하늘도 슬픈지 많은 비가 내렸다. 학(鶴)은 슬픈 표정을 짓고, 한동안 산소 곁을 떠나지 않았으며, 풀과 나무도 하염없이 눈물을 흘리는 것 같았다. 나는 아버님과의 영원한 이별이 그토록 슬픈 것인지 난생처음 깨달았다.

사람은 죽음을 외면하고 '개똥밭에 굴러도 이승이 좋다.'라고 말한다. 사실, 인간은 죽음을 재난으로 여기며 두려운 것이라고 인식한다. 그러나 죽음이란 생각하기에 따라 그렇게 거창한 것이 아니라 호흡과 맥박 하나에 매달려있는 단순한 것이라고 볼 수 있다. 늘 죽음 가까이 살고 있는 우리는 죽음을 겪어보지도 않은 채, 오로지 상상으로 정의할 뿐, 정확히 아는 사람은 이 세상에 아무도 없다.

죽음이란 무엇인가? 사람은 두렵고 오묘한 이 명제를 놓고 그 해답을 찾는데 갈급하기도 한다. 학자들은 '한 생명체의 모든 기능이 완전히 정지되어, 원형으로 회복될 수 없는 상태가 죽음이다.'라고 규정한다. 하지만 삶을 규명하지 않고, 죽음에 대한 완전한 답이 있을 수 없으며, 또한 죽음의 세계란 인간의 경험 영역, 지각 영역을 넘어서는 차원의 문제이기에 그 본체를 파악하기란 사실 어려운 일이다.

인간은 죽음으로 향하는 존재라고 규정한 철학자도 있고, 산다는 것이 무덤을 향하여 한 발자국 한 발자국 다가가는 과정이라고 말하는 소설가도 있다. 프랑스의 사상가, 몽테뉴(Montaigne, M.)는 그의 수상록에서 이렇게 말했다. "어디에서 죽음이 우리를 기다리고 있는지 모른다. 곳곳에서 기다리고 있지 않겠는가! 죽음을 예측하는 것은 자유를 예측하는 일이다. 죽음을 배운자는 굴종을 잊고, 죽음의 깨달음은 온갖 예속과 구속에서 우리를 해방시킨다." 공자의 제자 자로(子路)는 공자에게 "죽음이 무엇입니까?"라고 물었더니 공자는 "삶도 제대로 모르는데 죽음을 어찌 알겠느냐?"라고 대답했다고 한다.

성경에는 이런 말씀이 있다. '아담으로부터 죄가 세상에 들어오고 죄로 말미암아 사망이 왔으니, 이와 같이 모든 사람이 죄를 지었으므로 사망이 모든 사람에게 이르렀다.' 요컨대, 죽음은 죄에 대한 벌(罰)을 말하고, 기독교에서 말하는 이 죄는 원죄(原罪)를 가리킨다.

한편, 불교는 죽음을 이렇게 설(說)한다. '사람이 죽는다는 것은 무(無)로 되는 것은 아니다. 매미가 허물을 벗듯이 입었던 옷을 훨훨 벗어던지고, 새로운 옷으로 갈아입는 것이다. 낡은 허물을 벗는 것이 죽음이요, 새로운 옷으로 갈아입는 것이 윤회(輪廻)다. 새로운 옷이 무슨 빛깔이 되고 어떤 모습이 될지는 이승의 업(業)에 따라 결정된다. 그렇기 때문에 죽음은 무(無)가 아닌 동시에 두려워할 일도 슬퍼할 일도 아니다.'

죽음이란 무엇인지 오직 신만이 대답할 수 있는 명제다. 그래서 인간은 종교를 통해 죽음을 이해함으로써 공포를 극복하고 살아가는 것이 아닐까 하고 생각해 보았다.

"죽음을 찾지 말라. 죽음이 당신을 찾을 것이다. 그러나 죽음을 완성으로 만드는 길을 찾아라!" 정치가이자 문학가인 스웨덴의 닥 함마슐트(Dag Hammarskjold)가 남긴 명언이다.

향수 노래와 친구 이야기

"많지 않아도 그리고 자주 만날 수 없어도
나에게 친구가 있음은 얼마나 소중한 것입니까
멀리 있어도 가만히 이름 불러볼 수 있는
친구가 나에게 있음은 얼마나 행복한 일입니까"

　가수 박인수가 부른 '친구이야기'의 가사다. 며칠 전, 미국
LA에 살고 있는 한 대학 동창이 박인수 전 서울대 교수가 로
스앤젤레스에서 별세했다는 소식과 함께 '친구이야기' 노래를
보내왔다. 그 친구는 자신이 요즘 미국에서 느끼는 감정이 이
노래 가사에 그대로 담겨 있고, 자기의 처지를 대변하는 듯하
다고 했다. 그리고 박인수 교수가 이동원 대중가수와 함께 불
렀던 '향수' 노래가 떠오르고, 옛적, 이 노래를 열창하던 친구
들이 생각나, 울컥했다고 한다.
　'향수'는 클래식 성악과 대중가요의 크로스오버 명곡으로
꼽힌다. 지금은 천상에 있는 내 친구, 최 사장은 노래를 잘
불렀다. 특히, '향수'와 '그리운 금강산'은 그의 애창곡이었다.
'향수' 가사는 시인 정지용이 쓴 서정시로 고향에 대한 그리
움과 낙원에 대한 지향을 노래했다.

2014년 8월 어느 날, 네덜란드 암스테르담을 여행하는 중에 최 사장이 심장마비로 별세했다는 비보를 접했다. 전혀 상상할 수 없는 일이라 가슴이 먹먹하고 눈앞이 캄캄했다. 이틀 뒤에 북유럽 여행 일정을 마치고 서울로 돌아왔다. 그리고 고인으로 귀국하는 친구를 맞이하기 위해 아내와 함께 인천국제공항으로 갔다. 장례 때문에 상해로 출국한 최 사장 부인, 김 여사와 고인의 대학 동창, 박 형이 친구의 유골을 안고 침울한 표정으로 출구로 나왔다.

  내 옆에 친구의 주검을 싣고, 올림픽대로를 달릴 때, 인생이 덧없고 허무하다는 생각이 엄습했다. 어둠이 깔린 적막한 한강을 바라보며 '인간은 도대체 어디서 왔다가 어디로 가는 것일까?'라는 명제로 온갖 생각이 머리에 떠올랐다. 자동차 안에는 침묵이 흐르고, 간혹 긴 한숨 쉬는 소리만 들렸다.

  우리는 어느덧, 잠실종합운동장을 지나 풍납동에 있는 서울아산병원에 도착했는데 고인의 친구들과 직장 선후배들이 슬픈 표정으로 애도를 표하고, 유가족은 솟구치는 슬픔을 참지 못해 큰 소리로 오열했다.

  최 사장은 청춘 시절, 군복무를 마치고 직장 생활을 하면서 열심히 공부해 안암동에 있는 K 대학교에 진학했다. 그리고 졸업과 동시에 H종합무역상사에 입사하였고, 수출역군으로 전 세계를 열심히 누비고다녔다.

  1991년, 최 사장은 큰 꿈을 이루기 위해 무역회사를 창립했다. 몇 년이 지난 어느 날, 브라질로 수출한 거액의 물품

대금이 부도가 나, 경영하던 회사를 부득이 정리할 수밖에 없었다. 브라질은 당시 IMF 사태로 경제 상황이 아주 어려웠던 시기였다. 그래서 최 사장은 직장 선배가 소개한 자동차 부품 중소제조업체의 중국 상해 현지법인에서 가족과 떨어져서 근무했다.

고인이 발인하는 날, 내 차로 고인을 모시고 선산에 마련된 유택까지 동행하고 싶었다. 고향 친구, 박 회장이 유골 단지를 안고 내 옆자리에 앉자 희로애락이 교차했던 서울을 떠나 충청남도 금산으로 향했다. 고속도로를 달리면서 차창 밖을 멍하게 바라보았다. 세상은 아무런 일도 없는 것처럼 평온해 보이고 여러 자동차들이 분주하게 오고 갔다. 오로지 검은색 추모 리본을 매달은 내 차만 세상에 슬픔을 알리는 듯했다.

서울을 출발하여 약 2시간이 지나자 금산의 산소에 도착하였고, 이곳이 최 사장 인생길의 마지막 종착지가 된 것이다. 무덤가에는 학(鶴)이 슬픈 표정으로 자리를 지키고 있었으며, 매미는 흐르는 시간이 아쉬운 듯이 요란하게 울어댔다.

박인수 교수의 별세 소식을 받은 다음 날, 옛적 최 사장과 여러 번, 오르내렸던 일원동 대모산으로 갔다. 산 아래 펼쳐진 복잡하고 어지롭게 보이는 세상을 내려다보며 국민(초등)학교 3학년 때부터 최 사장과 동고동락한 옛 시절을 회상해 보았다.

3년 전 어느 날, 최 사장 둘째 딸의 결혼식에 갔는데, 눈물을 흘리며 혼자 하객을 맞이하던 김 여사 얼굴도 생생하게 떠올랐다. 김 여사는 남편 사업이 어려웠던 시절, 낮에는 종합병원에서 간호사로 근무하고, 야간에는 대학원을 다니면서 박사학위를 받아, C 대학교 간호학과 교수로 재직했다.

나는 용기를 내고 김 여사에게 안부 전화를 걸었더니 본인은 몇 년 전, 대학교에서 은퇴하여 지금은 모 종합병원에서 근무하고 있으며 첫째 딸은 미국 샌프란시스코의 한 로펌에서 변리사로 근무한다고 말했다. 둘째 딸은 상해에서 대학을 다녔던 경험을 기반으로 중국어 인터넷 교육 사업을 하는데, 최근에 기반을 잡았다고 차분하게 설명했다.

김 여사의 대답을 듣고, 최 사장 모습을 푸른 하늘에 그려 보았다. 늘 그랬듯이 씩 웃는 최 사장 얼굴이 아련하게 보이는 듯했다. 그리고 벤치 앞에 눈에 띄는 시판詩板을 자세히 살펴보니 정지용 시인의 시, '향수'가 적혀 있었다. 홀가분한 마음으로 대모산을 내려올 때, 옛적 최 사장과 듀엣으로 즐겨 불렀던 '향수'를 나 혼자서 불러보았다.

"하늘에는 성근 별 ~
알 수도 없는 모래성으로 발을 옮기고
서리 까마귀 우지짖는 초라한 지붕
흐릿한 불빛에 도란도란 거리는 곳
그곳이 차마 꿈엔들 잊힐리야 ~ "

길옆 풀숲에 있던 화려한 빛깔의 장끼 한 마리가 내 노래를 듣고, 큰 소리로 울면서 앞산으로 날아갔다.

화엄사 홍매화

이른봄 구례 화엄사에
홍매화가 활짝 피었다

젊은 사미승이
홍매화 꽃잎을 쓸고
등 굽은 고승은
주름진 목탁을 두드린다

산사의 범종 소리
노고단 골짜기에 울려 퍼지고
새소리 풍경소리 들려오는
지리산 화엄사

스님의 낭랑한 독경 소리에
소쩍새는 먼산으로 날아가고
홍매화 향기가 향불에 앉는다

인간은 무엇으로 사는가?

입행 동기들과 함께 서대문구 안산 둘레길을 걷고, 커피 향이 은은히 흐르는 카페에서 담소를 나눴다. 대화 내용은 주로 건강, 취미활동과 노후생활 이야기다.

분당에 사는 C 친구가 며느리 이야기를 슬며시 꺼냈다. 증권회사에 근무하던 며느리가 얼마 전에 아무런 연락도 없이 회사를 그만두고, 요즘은 손주를 데리고 자기 집으로 자주 찾아온다고 했다. 동기들이 효심이 지극한 며느리라고 칭찬하자, 며느리가 찾아오는 이유를 설명했다.

친구는 며느리가 손주를 데리고 올 때마다 십만 원을 주는데, 게다가 며느리는 시댁에서 중고 물건을 찾아 '당근 마켓'에 판다는 것이다. 물론 물건 주인의 허락은 받지만 판매 대금은 며느리 몫이다. 지금까지 처분한 물건은 양주, 포도주, 외제 넥타이와 미생(만화) 세트 등 다양하다.

한 번은 며느리가 골프화를 보더니 "아버님, 이 신발을 요즘 신으세요?"라고 물어와 "골프 신발은 절대 안된다!"라고 단호하게 대답했다고 한다. 사실 요즘은 골프를 치지 않지만 혹시 다시 칠 기회가 있지 않을까? 하는 생각이 들어, 그렇게 대답했다는 것이다. 옆에 앉은 친구가 "지금 쓰지 않는 모든 물건은 가능한 빨리 처분하는 것이 현명하지요."라고 충고했다. 내가 생각하기엔 며느리가 시어머니와 상의해 시아버지의 중고 물건을 하나씩 정리하는 것 같았다.

C 친구의 며느리 이야기를 듣고 세계적인 문호, 톨스토이의 '사람은 무엇으로 사는가?'라는 단편이 머리에 떠올랐다. 이 단편의 주요 내용은 다음과 같다.

'하나님에게 벌을 받고 쫓겨난 천사, 미하일(미카엘)은 자기를 구해준 시몬을 보고 사람의 마음에 사랑이 있다는 것을 깨달았다. 그리고 내일 죽게 될 운명을 모른 채 오랫동안 신을 수 있도록 구두를 주문한 부자를 보고 인간은 자기 운명(미래)을 모른다는 것을 깨달았으며, 엄마 잃은 아이를 키우는 부인을 보고, 사람은 사랑으로 산다는 것을 알았다고 한다.'

톨스토이는 인간 존재의 본질이 사랑이며 인간은 사랑으로 살아야 한다는 것을 우화로 쉽게 이야기한 것이다. 이 단편은 종교 서적이라고 볼 수 있다. 인간이 인간답게 살아가는데 필요한 것은 무엇인지를 질문한다.

성경은 이 질문에 대한 답으로 일용할 양식이라고 하는데, 여기에는 유무형의 모든 것들이 포함된다고 한다. 생존을 위한 의식주는 물론, 그것들을 구입할 수 있는 재물, 나아가 인간답게 존재할 수 있게 하는 기본적인 관계들이나, 자기 존재 가치를 느끼게 하는 어떤 역할 같은 것까지도 포함된다는 것이다.

오늘 일용할 양식을 주신 하느님에게 감사하는 것은 마땅

하고 옳은 일이라고 생각했다.

톨스토이(1828 ~ 1910년)

블로그와 유유상종

내가 쓴 수필을 처음으로 블로그(Blog)에 올렸다.

제목은 '꿈은 이루어진다!'라는 글인데 길거리 가수로 유명해진 네덜란드 '마틴 하켄스'에 관한 이야기다. 글에 대한 영역은 여러 주제들 중에서 '좋은 글·이미지'를 선택했다.

블로그(BLOG)란 보통 사람들이 자신의 관심사에 따라서 자유롭게 글을 올릴 수 있는 웹사이트를 말한다. 웹(WEB)과 로그(LOG)의 줄임말로, 1997년 미국에서 처음 등장했다. 새로 올리는 글이 맨 위로 올라가는 일지 형식으로 되어 있기에 그러한 이름이 붙었다고 한다. 이곳에는 일기, 칼럼, 기사 등을 자유롭게 올릴 수 있을 뿐만 아니라 개인 출판, 개인 방송, 커뮤니티까지 다양한 형태를 취하는 일종의 1인 미디어다.

고사성어, 유유상종(類類相從)은 동아리끼리 서로 왕래하며 사귄다는 뜻으로 비슷한 부류의 인간 모임을 비유한 말이다. 이 말의 근원은 알 수 없으나 주역의 계사(繫辭) 상편에서 그 전거(典據)를 찾을 수 있다고 한다. 그 글에는 이렇게 기록되어 있다. "삼라만상은 그 성질이 유사한 것끼리 모이고 만물이 무리를 지어 나누어 사는데, 거기에서 길흉(吉凶)이 생긴다는 것이다."

블로그를 시작하고서 또 하나의 세상이 온라인상에 있다는 것을 실감했다. 관심 있는 주제를 대상으로 자신의 경험과 지식을 공유하고 이웃과 열심히 소통하는 모습이 보기 좋았다.

중국 춘추전국시대, 제나라 선왕은 순우곤에게 각 지방에 흩어져 있는 인재를 찾아 등용하도록 지시했다. 며칠 뒤에 순우곤이 일곱 명의 인재를 데리고 왕 앞에 나타나자 선왕은 이렇게 말했다. "귀한 인재를 한꺼번에 7명씩이나 데려오다니 너무 많지 않은가?" 그러자 순우곤은 자신만만한 표정으로 "같은 종의 새가 무리를 지어서 살듯이 인재도 끼리끼리 모입니다. 그러므로 신이 인재를 모으는 것은 강에서 물을 구하는 것과 같습니다."라고 대답했다.

하지만 현대에서 유유상종이란 이러한 인재의 모임이라기보다는 배타적 카테고리라는 의미가 더 강하고 비꼬는 말로도 자주 쓰인다. '끼리끼리' 또는 '초록은 동색'과 일맥상통하는 경우가 많다.

영어 속담에도 성향이나 관심사가 같은 사람들이 어울린다고 할 때 'Birds of a feather flock together.'라고 표현한다. 같은 깃털의 새들이 함께 무리를 짓는다는 뜻으로 비슷한 사람끼리 모인다는 것이다.

비슷한 사람들끼리 유유상종하는 이유는 무엇일까? 인간은 본능적으로 자신과 비슷한 사람을 찾게 되고 그 사람과 있을 때 심리적인 안정을 느낄 수 있으며 소외감이나 외로움을 덜 느낀다고 한다. 우리나라는 예로부터 좁은 땅덩어리임에도 유유상종하는 문화가 뿌리 깊다. 지연, 학연, 혈연으로 맺어진 단체나 직장 동료들과 주로 왕래하고 열린 마음이 부족한 채 살아가고 있다.

특히 정치 이념이나 종교가 다른 사람을 대할 때, 논리적으로 생각하거나 열린 마음으로 이해하는 노력조차 부족한 실정이다. 부처님은 제자들에게 "사람도 원래 깨끗하지만 살면서 만나는 인연에 따라 죄와 복을 부른다. 어진 자(者)를 가까이하면 곧 도덕과 의리가 높아가고, 어리석은 자(者)를 친구로 사귀면 곧 재앙과 죄가 찾아 들기 마련이다."라고 설했다.

앞으로 누구를 가까이 하면서 살아가야 행복할지 곰곰이 생각해 보았다.

안산 가는 길

태풍 카눈이 서울을 할퀴고 갈 것이라는 일기예보와 달리 태풍 세력이 약화되어 큰 피해 없이 지나갔다. 하지만 영동지방에는 물 폭탄이 쏟아져 농작물 피해가 발생했다는 소식을 듣는 순간 고향 생각이 났다. 최근 전 세계 곳곳에서 폭염이 기승부리고 대형 화재가 발생하여 인간의 환경 파괴에 따른 혹독한 대가를 치르고 있는 것 같다.

오늘은 경기도 안산에서 자원봉사활동 하는 날이다. 늘벗근린공원을 통과하여 지하철 도곡역으로 걸어갈 때 매미소리가 요란했다. 며칠 전에는 매미가 약하게 울었는데 오늘은 사뭇 다르다고 느꼈다. 카눈 태풍이 완전히 사그라졌다는 사실을 확인하고 게다가 처서가 며칠 남지 않아 죽을힘을 다해 짝을 찾는 듯했다. 산책로에는 죽은 매미가 눈에 띄었는데 짝짓기를 하고 죽었는지 궁금했다.

사당역에서 4호선을 환승해 안산으로 향했다. 과천을 통과할 즈음 맞은편에 앉은 70대 후반으로 보이는 할머니가 지하철 에어컨 때문에 추위에 떨며 힘들어하는 모습이 보여, 할머니를 도와야 한다는 생각이 불현듯 뇌리를 스쳤다. 지금 내 옆에서 추위에 떨며 얼굴이 사색이 되어가는 할머니를 모르는 척하는 것은 도리에 어긋나는 것이라고 생각했다. 내 재킷을 슬며시 벗고 맞은편 할머니 옆자리로 이동했다. 그리고 작은 목소리로 "지하철이 너무 춥네요. 이 옷을 덮으시면 추위를 견딜만할 겁니다."라고 말하자 할머니가 반가운 표정을 지으며 "고맙습니다!"라고 대답했다. 그리고 얼마 후 할머니의 얼굴에 화색이 돌고 내가 중앙역에서 내릴 때 옷을 돌려주며 "정말로 감사합니다!"라고 허리를 굽혀 정중하게 인사했다.

사회봉사활동이란 남을 돕기 위해 나 스스로 희생하는 활동을 말한다. 심리학으로는 인간의 욕구 중 최상위에 있는 자아실현의 단계라고 볼 수도 있다. 사회봉사활동의 시작은 거창한 것이 아니라 부드러운 눈빛, 상냥한 미소, 그리고 따뜻한 말 한마디라고 생각한다.

안산 중앙역에서 캄보디아문화원을 향해 걸어갈 때, 15년 전, 가족과 함께 캄보디아를 여행한 추억이 떠올랐다. 인구 1700만 캄보디아는 관광지 앙코르 와트와 공산주의 독재자 폴포트 정권이 저지른 킬링필드로 알려진 나라다. 현재 그 나라 출신으로 한국 내 상주하는 사람은 45,000명에 달하고, 안산에는 약 800여 명의 캄보디아 산업근로자가 근무하고 있다. 중세기 크메르 제국은 인도차이나반도뿐만 아니라 지금의 태국과 미얀마 일부까지 복속시킬 만큼 영토가 넓고 힘이 강한 나라였다. 앙코르 와트는 지금도 세계에서 수많은 관광객이 찾아올 정도로 유명한 곳이다.

캄보디아를 여행할 당시 앙코르 와트를 둘러보고 근처에

있는 돈레샤프 호수에 간 적이 있다. 넓고 푸른 바다와 같은 풍광이 인상 깊었던 곳이다. 당시 유람선을 호수에 띄워놓고 경치를 감상할 때 큰 대야를 타고 바나나를 팔기 위해 7살 정도 어린이들이 달려들었다. 지금도 그 아이들의 눈망울이 눈에 선하다. 돈레샤프 호수 주변에는 수상 마을이 있었다. 배로 수상 학교에 가는 학생들의 모습이 보이고 배에서 생활용품을 파는 상인도 볼 수 있었다.

지난 7월 초 코이카(KOICA) 국제협력단원으로 스리랑카에서 2년간 봉사활동을 한 친구, 홍 박사를 집 부근 카페에서 만났다. 홍 박사는 요즘 캄보디아문화원에서 중급 한국어를 무료로 가르치는데 나에게 한국어를 가르치는 자원봉사를 할 수 있는지 슬며시 물어보았다. 그 말을 듣는 순간, 돈레샤프 호수에서 바나나를 팔던 어린이들의 초롱초롱한 눈망울이 떠올라서 흔쾌히 수락했다. 지금 그 아이들은 20대 청년이 되었을 것이라고 짐작한다.

캄보디아 근로자를 처음 만난 지 2개월이 지났다. 이제는 수강생 20명의 이름과 나이 그리고 그들의 사생활도 내 귀에 들어온다. 아무리 한국이 선진국 대열에 올라섰다 하더라도 외국인 근로자의 고충을 완전히 사라지게 할 수는 없다. 하지만 국가는 외국 근로자들이 인간으로서 존엄을 지키며 살아갈 수 있게 지원을 해주는 것이 책무이고 인종이나 가난에 대한 편견과 고정관념은 우리 사회에서 사라져야 할 것이다.

지난해 11월 기준, 국내 거주 외국인은 175만 2000명으로 전체 인구의 3.4%이다. 앞으로 이 비율이 빠르게 커질 수밖에 없다. 한국인 인구는 작년 처음으로 5000만 명 밑으로 떨어졌으며 사회 곳곳에서 일할 사람이 없다고 난리다.

캄보디아 친구들과 한국어와 한국문화를 이야기하면 시간이 빠르게 지나간다. 오늘은 아내가 직접 만든 한국의 전통 과자, '매작과'를 근로자들에게 선물로 나눠주었다. 호기심 있는 표정으로 즐겁게 맛보는 그들의 모습에서 착한 속마음을 읽을 수가 있었다. 수업을 마치고 안산 중앙역에서 근로자들과 헤어질 때, '릿'이 나에게 "선생님 요즘 칼부림 조심하세요."라고 말했다. 그 말이 고맙기도 했지만 캄보디아 산업근로자에게도 걱정으로 비친 한국의 현실이 떠올라서 기분이 씁쓸했다.

늘벗근린공원을 통과해 집으로 돌아올 때 매미소리가 여전히 요란했다.

.

죽서루와 송강 정철

  '죽서루 아래 오십천이 태백산의 아름다운 풍경을 담아 동해로 흘러가니, 차라리 그 물줄기를 임금이 계신 한강으로 돌려서 목멱(남산)에 닿게 하고 싶구나. 관원의 길은 유한하고, 풍경은 볼수록 싫증 나지 않으니 그윽한 회포가 많기도 하다. 나그네 시름 달랠 길 없네. 신선의 뗏목을 띄워서 북두성과 견우성으로 향할까, 신선을 찾으러 단혈에 머무를까?'

  송강 정철(1536~1593년)의 관동별곡 가운데 죽서루와 오십천을 노래한 가사다. 관동별곡은 강원도 관찰사의 직함을 받고 부임한 송강 정철이 내금강과 외금강, 해금강과 관동팔경을 유람하면서, 아름다운 경치에 감탄한 내용을 기록한 것이다.
  송강은 금강산을 구경하고 의상대, 경포대, 죽서루를 거쳐 바다를 감상한다. 달빛 아래서 술을 마신 후, 신선이 되는 꿈을 꾼다. 그리고 마지막 경유지, 죽서루에서 임금에 대한 그리움과 애틋함을 표현하고, 나그네의 시름과 갈등을 묘사했다.
  죽서루는 삼척시 성내동에 자리한 누각으로 보물213호다. 관동팔경은 관동지역의 뛰어난 경관 속의 누대들 가운데 가장 뛰어난 8곳을 지칭한다. 그중에서도 죽서루는 관동팔경의 으뜸이다. 가파른 절벽 위에 우뚝 서있으며 관동팔경 중 유일하게 바다를 향하지 않고 내륙의 산을 바라본다. 누각의 규모도 제일 크고 역사가 가장 오래되었다.

나는 학창 시절에 민족의 대서사시, '제왕운기'를 지은 이승휴가 고려 말에 죽서루를 창건했다고 배웠다. 조선시대에 들어와 1403년 삼척 부사, 김효손이 누각을 중창한 이래 여러 차례 보수를 거쳐 현재에 이른다.

누각 안에는 여러 현판이 걸려 있다. '제일계정(第一溪亭)'은 현종 3년 허목의 글이고 '관동제일루(關東第一樓)'와 '죽서루(竹西樓)'는 조선 숙종 때 삼척 부사였던 이성조의 글이다. 숙종의 어제시와 율곡의 시를 비롯, 많은 시판이 걸려 있다.

죽서루의 건축 구조는 현대 건축가들도 많은 관심을 보이고 연구 대상이라고 한다. 그 구조를 살펴보면 정면 7칸, 측면 2칸의 규모로 겹처마에 팔작지붕이다. 1층에는 길이가 모두 다른 17개의 기둥을 세웠는데, 그중 8개는 다듬은 주춧돌 위에 세우고 나머지 9개는 자연석 위에 세웠다. 자연석을 가공하지 않고 그대로 기둥을 세웠다고 하여 '덤벙주초'라고도 한다. 그 위에 누대에는 20개의 기둥이 있다. 기둥 사이의 벽이나 창호문 없이 모두 개방되어 있다. 죽서루는 이전 건축 양식에 구애받지 않고 천진하고 자연스럽게 지어진 우리 건축의 자랑인 것이다. 어느 작가는 죽서루의 자연석 위에 놓인 기둥, 덤벙주초처럼 인생은 편하게 덤벙덤벙 살아야 행복하다는 글을 쓰기도 했다.

내 고향은 죽서루가 있는 삼척이다. 어린 시절, 죽서루 아래 흐르는 오십천에서 수영을 배우고 은어 낚시를 즐겼다. 여름철에는 친구들과 시원한 죽서루를 찾아 무더위를 식혔으며 죽서루 절벽을 내려가 오십천 맑은 물에서 물놀이를 했다.

1975년에는 군(전투경찰)에 입대하여 '서울시경찰국 여름경찰서'에서 수상인명구조 대원으로 근무한 적이 있다. 그 시절의 여름은 서울 시민이 한강 뚝섬과 광나루에서 수영을 하며 편하게 피서를 즐겼다. 내 임무는 한강에서 물에 빠진 사람을 구조하는 것으로 어떤 경우에는 인명 구조에 실패하여 마음이 애잔하기도 했다. 그 당시 한강에서 인명을 구조했던 추억은 평생 잊을 수가 없고 아직도 내 마음속에 자긍심으로 남아 있다.

 지금도 친구나 직장 동료들과 강원도 동해안으로 여행할 때, 가이드를 자청해 스케줄을 짜고 동행자와 함께 죽서루에 간다. 그곳에서 눈앞에 펼쳐진 풍경을 바라보면 옛 추억이 떠오르고 송강 정철의 관동별곡이 생각난다. 그리고 죽서루 공원에 있는 관동별곡 가사비를 읽으면, 송강 선생이 신선이 되어 지금도 시를 노래하는 듯하다.

이연실 노래, 역

형님이 '하늘나라와 주고받은 편지'라는 내 블로그를 읽어보고, 자신의 소감을 이렇게 보내왔다.
"벌써 생(生)과 사(死)를 생각해야 하는 나이가 되어 심란하네요. 마음은 아직 젊고 한창인데, 꿈 많은 학창 시절이 먼 나라 이야기가 되어 버렸지요. 나는 대학시절, 가수 이연실이 불렀던 '소낙비', '역', '새색시 시집가네'를 지금도 들으며 그때의 추억을 회상하고 있습니다."

나도 학창 시절부터 가수 이연실의 노래를 좋아했다. 그는 노래 열정이 넘치는 청춘 가수였다. 그가 부른 노래 '역(逆)'은 밥 딜런이 부른 'Don't Think Twice, It's Alright.' 노래를 양병집이 번안한 곡이다. 가사가 해학적인 풍자가 있어서 당시 청춘들에게 인기 좋았다.

역(逆)

두 바퀴로 가는 자동차
네 바퀴로 가는 자전거
물속으로 나는 비행기

하늘로 뜨는 돛단배
복잡하고 어지러운 세상 위로
오늘도 애드밸룬 떠 있건만
포수에서 잡혀온 잉어만이
한숨을 내쉰다.

남자처럼 머리 깎은 여자
여자처럼 머리 긴 남자
자가용으로 등교하는 아이
비 오는 날 우산 파는 애
복잡하고 어지러운 세상 위로
오늘도 애드밸룬 떠 있건만
땅꾼에게 잡혀온 독사만이
긴 혀를 내민다.

　이 노래 가사는 독재정권에 저항하는 곡이라고도 한다. 양병집은 가수 이연실이 이 노래를 부르고 얼마 후, 독재 정권에 더 세게 저항할 의도로 가사를 일부 수정했다. 그리고 '넋두리'라는 독집 앨범을 발표하면서 자신이 직접 노래를 불렀지만 검열에 적발되어서 방송금지곡이 되었다.
　1995년, 가수 김광석은 이 노래를 이연실이 불렀던 노래 가사로 리메이크하였는데, 제목을 '두 바퀴로 가는 자동차'라고 변경하였다.
　이 노래를 들으면 역지사지(易地思之)라는 고사 성어가 생

각난다. 이 말의 의미는 다른 사람의 처지에서 생각하라는 뜻으로 이 고사 성어가 생긴 유래는 다음과 같다
'옛날 중국에 '하우'와 '후직'이라는 벼슬아치가 있었다. 이들은 나라 일을 하느라 너무 바쁜 나머지 자신들의 집에도 가지 못했다고 한다. 대학자였던 공자는 자신의 처지보다 다른 사람들을 배려한 이들을 칭찬하였고 입장을 바꾸어 다른 사람의 처지를 헤아리는 것은 사람에게 꼭 필요한 일이라고 하였다. 이때부터 사람들은 공자의 가르침을 이어받아 남을 이해함으로써 갈등을 줄일 수 있는 역지사지의 태도를 본받으려고 노력했다고 한다.'

한국은 현재 정치, 사회가 불안하고 혼란스럽다. 게다가 코로나19가 기승부려서 국민은 이미 힘든 세상이라고 느낀다. 요즘은 포수에게 잡혀온 잉어도 한숨을 내쉬는 세상에 살고 있는 듯하다.

불가근불가원

좋은 인간관계를 유지하면서 살아가기란 결코 쉬운 일이 아니다. 직장 동료들 사이에 "저 사람은 불가근불가원이야!"라고 말하며 은근히 충고할 때가 있다. 이 말은 '인간관계란 가깝다고 반드시 좋은 것이 아니고, 멀다고 항상 나쁜 것은 아니다.'라는 어려운 인간관계를 함축하여 표현한 것이다.

2,500여 년 전, 공자는 "여자란 소인배와 같아서 가까이하면 교만해지고 멀리하면 원망한다."라고 말했다. 하지만 노벨상을 수상한 20세기 명작가, 윌리엄 골딩은 "여성이 남성과 동등한 척하는 것은 어리석다. 여성은 남성 보다 훨씬 더 우수하다. 늘 그랬다."라고 주장했다.

독일 철학자, 니체는 넘치면 좋은 게 아니라 덤덤해진다고 말했으며 독일 속담에도 이웃을 사랑하되 담까지는 허물지 말라고 충고한다. 즉, 인간관계에서는 일정한 거리를 두는 것이 서운한 감정이나 원망이 생기지 않고, 오히려 좋은 관계를 유지하는데 적당하다는 뜻이다.

고대 그리스 철학자, 아리스토텔레스는 적당함을 가장 좋은 것으로 보았다. 그는 용기란 무모하지도 않고 겁을 먹지도 않는 상태이며, 절제는 방종도 아니요, 무감각하지도 않은 상태라고 했다.

인간의 마음은 유리병보다도 더 쉽게 깨질 수 있다. 서운한 말 한마디에 무너져 내리고 상처받은 마음은 깨진 유리 조각처럼 주위에 있는 사람에게 상처를 주기도 한다.

인간관계는 사람의 마음을 연결할 때 형성되고, 아름다운 관계란 사랑과 배려 속에 만들어지며, 좋은 관계는 서로에게 유익할 때 만들어진다고 한다. 결국, 인간은 대인관계에서 행복해질 수도 있고, 불행해질 수도 있다는 것이다.

나는 세상이 힘들고 외롭게 느낄 때 '사이먼 앤 가펑클'이 부른 노래, '험한 세상의 다리가 되어(Bridge over Troubled Water)'를 듣는다. 이 노래 가사는 다음과 같다.

당신이 지치고 초라해질 때
당신의 눈에 눈물이 고일 때,
내가 눈물을 닦아 드릴게요.

살기 힘들고 친구도 없을 때,
내가 당신 곁에 있어 드릴게요.

마치 거친 풍랑 속에서 버티는 다리처럼,
내 몸으로 기꺼이 세상 풍파를 견디는
다리가 되어 드릴게요.

추억의 환율 게시판

외환은행에서 정년퇴직했다. 한국외환은행은 '한국외환은행 법'에 따라 외국환 거래와 무역금융의 원활을 목적으로 1967 년에 재무부와 한국은행이 설립한 국책은행이었다. 특히, 대 기업과 무역업체를 중점 육성하여 한국의 경제 발전에 크게 기여했다고 자부한다.

요즈음 나는 외국통화를 환전하기 위해 외환은행을 합병한 하나은행을 가끔 들른다. 그리고 은행 객장에서 환율 게시판 을 쳐다보면 내가 만든 '환율 게시판'이 지금까지 그대로 사 용되고 있다는 것이 신기하고 흐뭇하다.

1992년 8월, 시카고 지점에서 본점으로 귀국 발령을 받았다. 당시 외환은행의 경영 목표는 '고객 만족'이었는데 고객 만족은 기업의 당연한 의무지만 그 시대의 잣대로는 아주 혁신적이고 참신한 경영 목표였다. 사실, 은행 문턱을 낮추고 고객 위주의 경영을 해야만 하는 시대적 변화가 있었던 시기였다.

P 부장님은 책임자회의 시간에 고객 위주 경영에 적극 동참할 수 있는 신상품 개발 및 제도 개선 등을 획기적으로 해볼 것을 독려했다. 내가 담당했던 '외환관리과' 소관 업무는 외국환 업무의 기획, 규정, 제도 개선과 외국환 법규의 해석 및 신상품 개발 등이다.

은행의 경영 목표에 맞는 아이디어를 수집하고 분석한 결과, 은행에서 사용하는 환율 게시판이 은행 위주로 표시되어 고객들이 쉽게 사용할 수 없다는 사실을 깨달았다. 환율이란 외환의 가격으로, 자국 화폐와 외국 화폐의 교환비율을 의미한다. 대부분 국가들은 외화를 기준으로 표시하고 있는데 우리나라도 그렇게 표시한다. 예로 1달러의 가치를 원화로 얼마인지를 표시하는 것이다.

국내의 모든 은행들이 사용하던 환율 게시판에는 전신환 매도율, 전신환 매입률, 일람출급 수출환어음 매입율, 여행자 수표 매도율, 매매기준율이 표시되었다. 따라서 고객이 이 게시판을 보고, 자신이 원하는 거래에 적용할 환율이 어느 것인지 구분하기란 그리 쉽지 않았다.

전 세계 해외지점으로 공문을 보내, 그 나라의 환율 표시 방법을 조사하여 통보해 줄 것을 요청했다. 약 일주일 후 회신을 정리하여 요약해 보니 모든 나라가 사용하는 환율표에는 은행을 기준으로 전신환 매도율(T/T Selling Rate), 매입율(Buying Rate), 기준 환율(Basic Rate) 등을 사용했다. 가격의 게시(Quotation)란 게시하는 주체, 즉 은행을 기준으로 하는 것이 이론적으로는 맞기는 하다. 새로운 아이디어를 수집할 목적으로 협조를 구했지만 별다른 성과는 없었다.

하지만 외환은행의 실용적이고 독창적인 환율 표시를 해보자는 나의 제안에 부장님도 적극 찬성했다. 은행은 비교적 보수적인 조직이라 획기적인 변화가 다소 부담스러웠다. 만일, 일이 잘되면 칭찬 몇 마디가 전부일 수 있고, 만일, 일이 잘못되어 문제가 발생하면 그 대가를 치러야 한다.

새로운 환율 게시판을 만들기 위해 직원들과 수차례 토의를 거듭한 결과, 은행 입장이 아닌 고객 입장에서 환율을 표시하고 '전신환'이나 '매매'라는 어렵고 기준이 모호한 용어를 배제하는 것이 좋겠다는 결론을 내렸다. 대신, 외환 거래의 종류 즉, 현찰 거래, 송금 거래 등의 거래별로 환율을 구분 표시하여, 고객이 쉽게 이해할 수 있는 환율 게시판 문안을 확정하였다. 예로 현찰에 대한 환율은 '현찰 사실 때(Your Buying)' '현찰 파실 때(Your Selling)'처럼 고객 기준으로 명확하고 알기 쉽게 변경했다. 수백 개 지점에서 사용하는 환율 게시판이 무려 천여 개에 달하므로 관련 예산도 만만치 않기에 만약, 고객의 호응이 신통치 않거나 불편이 야기될 경우 난처할 수 있겠다는 염려도 있었다.

'환율 게시판 고객 위주 개선(안)'이라는 제목의 품의서를 기안한 후, 관련 부서 합의를 거쳐 담당 임원과 최종 전결권자인 은행장 결재를 받았다. 품의서 제목에 표기했듯이 '고객 위주'와 '개선'이라는 거창한 표현에 관련 부서는 아무런 합의 의견을 달지 않았다.

새로운 환율 게시판을 제작해 일부 시범 영업점으로 보냈다. 은행 직원들은 낯선 게시판과 고객 위주의 평이한 용어를 쳐다보고 은근히 웃기도 했다. 이러한 고객 위주 게시판은 전 세계의 모든 은행 중에서 한국외환은행이 유일했다.

고객들의 반응을 영업점을 통해 조사해 보니, 새 환율 게시판이 이해하기 쉽고 편리하다고 말했다. 다행이라고 생각하여 새 환율 게시판 홍보기사(안)을 각 신문사 앞으로 발송했다. 여러 신문사에서 외환은행이 오랫동안 사용해온 환율 게시판을 고객 만족을 위해 획기적으로 교체했다는 기사가 나오자 새 환율 게시판이 주목받기 시작했다. 결국, 국내 모든 은행도 새로운 환율 게시판을 외환은행과 같이 제작하여 서서히 교체하게 되었다.

외환은행은 우리나라에서 최초로 외국환 업무를 취급하고 외국환 부문에서 선도적인 역할을 수행했다. 하지만 1998년 IMF 시절, 우리나라 외화보유고가 부족하여 동고동락하던 일부 동료들이 은행을 떠나야만 했던 슬픈 역사를 잊을 수 없다.

요즘, 은행에서 환율 게시판을 물끄러미 쳐다보면 외환은행에서 평생을 보낸 옛 추억이 회상된다. 또한 내가 만든 환율 게시판이 아직도 고객들에게 편의를 제공하고 있다는 사실이 흐뭇한 감정으로 다가온다. 하지만 '외환은행'이란 이름은 지금 그 어디에서도 찾을 수 없어 마음이 허허롭다.

이카로스의 날개

인간의 덧없는 욕망을 말해주는 그리스 신화인 '이카로스(Icarus)의 날개'가 전한다. 이카로스는 최고의 건축가이자 발명가인 다이달로스의 아들이다. 다이달로스는 미노스 왕의 명령으로 미궁(迷宮), 라비린토스를 지은 후, 죄를 지었다는 이유로 그의 아들 이카로스와 함께 미궁에 갇혔다.

다이달로스는 새의 깃털로 날개를 만들어 밀랍으로 붙이고, 아들과 함께 하늘로 날아올라 미궁을 탈출한다. 그는 아들에게 너무 낮게도, 너무 높게도 날지 말라고 신신당부했다. "만약, 너무 낮게 날면 바다의 습기 때문에 날개가 무거워지고, 너무 높게 날면 태양의 열기 때문에 날개가 떨어질 수 있다."라고 일렀다. 하지만 이카로스는 그 말을 듣지 않고 점점 높이 날아가 결국, 밀랍이 녹아서 추락하여 죽었다. 자신의 한계를 무시하고 너무 높이 올라가 비참한 최후를 맞았다는 교훈적인 이야기다.

인간은 본능적으로 욕망이 존재한다. 철학은 탐욕이란 용어를 쓰기도 한다. 탐욕은 사전적 의미로 지나친 욕망을 일컫는 말이다. 불교는 탐욕이 인간의 지혜를 어둡게 하고 악을 부르는 탐진치(貪嗔癡), 삼독(三毒) 중 하나라고 설(說)한다.

논어의 첫 구절은 '學而時習之 不亦說乎(학이시습지 불역열호)'로 시작한다. 공자는 학(學)이란 글자로 시작하여 배움을 통해 군자가 될 수 있다고 가르쳤다. 한편, 논어의 마지막 장에는 "천명(天命)을 모르면 군자가 될 수 없고, 예(禮)를 모르면 사회에 나설 수 없으며, 다른 사람의 말(言)을 알아듣지 못하면 사람을 알 수 없다."라는 3부지(不知)를 말한다. 즉 인간은 하늘이 내린 명을 알고 자신의 한계를 깨달아야 한다고 강조한 것이다. 이 마지막 구절은 소크라테스가 말한 "너 자신을 알라!"라는 말과 그 뜻이 같다고 할 수 있다.

동서양을 막론하고 성인이나 철학자는 자신의 한계를 모르고 무모하게 행동하면 비참한 결과를 가져온다는 가르침을 준다. 또한 종교는 지나친 욕심은 올바른 신앙생활을 통해 제거할 수 있다고 일깨워준다.

프랑스 작가, 로맹 롤랑은 "불행은 언제까지 지속될 수 없다. 참고 견디던지 아니면 용기를 내어 이를 쫓아버리던지 둘 중의 하나를 선택하면 된다."라고 말했다.

추억의 두타산을 걷는다

　오늘은 예수 그리스도의 탄생을 기리는 성탄절이다.

　고향 친구가 보내온 눈 내린 두타산(頭陀山) 사진을 보면서 옛적, 누님과 함께 두타산 정상에 올랐던 옛 추억이 떠올랐다. 2003년 11월, 히말라야 안나푸르나 베이스캠프까지 트레킹 한 적이 있지만 정작 고향의 두타산 정상에는 등산한 적이 없었다.

　2004년 4월 어느날, 동해시 누님댁에서 아침 식사를 하고 두타산을 향해 출발했다. 우리는 삼척시 미로면 천은사에서 두타산 정상으로 가는 코스를 택했는데 천은사는 고려시대, 문인 이승휴가 민족의 대서사시, 〈제왕운기〉를 저술한 곳으로 알려진 절이다.

　천은사 입구에서 시내버스를 하차해 조금 걸어가니, 해탈교가 나타났다. 이 다리를 건너가자 두타산 자락에 자리 잡은 고즈넉한 천은사가 눈에 보였다. 새소리 들려오고 산들바람이 불어와 새봄이 왔음을 온몸으로 실감했다.

　천은사는 돌로 만든 배를 타고 인도에서 온 3명의 승려, 두타삼선이 흰 연꽃을 가져와 758년(신라 경덕왕 17), 창건했다는 전설이 내려오는 절이다. 천은사의 창건 당시 이름은

백련대(白蓮臺)다. 이후 829년(흥덕왕 4)에 극락보전이 건립되면서 사찰의 모습을 갖췄다고 한다.

1899년(고종 광무 3)에는 이 절에 조포소를 설치하여 이성계 5대조 이양무 장군묘(준경묘)를 나라에서 조성할 때 제사에 사용할 두부를 만들게 했다. 그래서 조선 후기 문신 이중하가 '하늘의 은혜를 입었다'고 하여 천은사(天恩寺)로 개명했다.

준경묘

이승휴(1244~1300년)는 고종 11년에 태어나 충렬왕 때까지 개성, 강화, 삼척을 전전하면서 항몽 전쟁기를 살았다. 자는 휴휴(休休)고 호는 동안거사다. 그는 감찰대부라는 높은 자리까지 올랐으며, 기울어가는 고려왕조를 일으켜 세우기 위해 국정을 문란케 하는 친원세력의

횡포와 충렬왕의 실정을 비판했다. 하지만 자신의 충정이 반영되기는 커녕 왕의 미움만 사게 되자, 미련 없이 어머니가 계시는 삼척으로 내려왔다. 그리고 지금의 천은사 자리에 용안당(容安堂)을 지은 뒤 은둔생활을 시작했다. 그렇게 은둔생활을 하던 그가 침묵을 깨고 '제왕운기'라는 민족의 대서사시를 쓰게 된 까닭은 원의 지배와 간섭에 쓰러져 가는 민족의 자존심을 되찾기 위함이었다.

 단군이라는 뿌리에서 나온 우리 겨레가 중국 못지않은 오랜 역사와 훌륭한 문화를 가지고 있다는 사실을 상기코자 했으며 선정을 편 왕과 악정을 편 왕을 비교해 통치자로 하여금 선정을 펴도록 유도했다. 이승휴가 은둔생활을 마치고 제왕운기를 지으며 걱정하던 고려 왕조는 끝내 그가 눈을 감고 채 백 년을 버티지 못했다. 즉, 이승휴가 은거하던 천은사 부근, 활기리에서 살았던 목조 이안사의 4대손 태조 이성계에 의해 비참한 종말을 맞았다. 현재 이성계 고조부 목조 이안사의 부친 준경묘와 모친 영경묘가 미로면 활기리에 왕릉 수준으로 잘 보호되고 있다.
 천은사 경내에 있는 극락보전과 약사전 등을 둘러본 후, 오르막길을 약 1시간 반을 걸어서 쉰움산 정상에 도착했다. 산에는 새봄을 알리는 진달래꽃이 활짝 피었고 나뭇가지에는 파릇파릇한 새싹이 돋아났다. 쉰움산 정상에는 돌 웅덩이 수십 개가 있었는데, 그 모습이 아주 신비롭고 특이했다. 쉰움산이란 둥근 꼴의 크고 작은 우물이 쉰여 개가 된다고 하여 붙여진 이름으로 쉼움정이라고도 한다. 정상 부근을 자세히 살펴보니 제사를 올린 흔적이 곳곳에 남아 있었다. 타다 남은 양초와 제사 음식도 군데군데 눈에 띄었다. 세종실록지리지와 신증동국여지승람은 두타산 산허리에 오십여 개의 돌구멍을 오십정이라 불렀다고 한다. 가물 때는 모두가 마르지만 오직 한 곳은 푸른 이끼가 끼고, 맑은 물이 남아있으므로 신정(神井)이라고 했다. 가뭄이 오면 기우제를 이곳에서 지냈다. 그 부근에는 제단이 있으며, 읍인(邑人)들이 봄가을에 이곳에서 제사를 올린 곳으로 기록되었다.

쉼움산은 무속의 성지로도 잘 알려졌다. 산 곳곳에 자리 잡은 돌탑과 재단만으로 이 산이 유명한 기도처임을 쉽게 짐작할 수 있다. 또한 이곳은 산멕이를 한 처소로 사용되었다. 산멕이는 산을 먹인다는 말로 대접한다는 뜻이다. 태백산맥 산간지방에서 행하는 산신 신앙을 지칭하는 말인데, 특히 삼척

·동해 지방의 특별한 민간신앙이다. 산멕이는 산멕이기, 산
치성, 조상보기 등으로도 불리며 산신에게 가내 평안과 재앙
을 막고 복을 부르는 의식으로 매년 정기적으로 행하고 있다.

 쉼움산을 돌아보고 가파른 길을 2시간 정도 걸어서 두타산
정상에 도착했다. 산 정상에는 '두타산' 글씨가 새겨진 비석
이 보였고 바로 옆에는 산소가 있었다. 아마도 두타산 정상을
명당이라 여긴 어느 이웃이 후손이 번성하라고 묫자리를 썼다
고 생각했다. 산 아래 펼쳐진 풍광을 보면서 누님이 준비한
도시락으로 점심을 먹었는데 등산 덕분인지 밥맛이 더욱 좋
았다. 동쪽을 바라보니 동해 바다가 멀리 내려다보였다. 내가
있는 곳은 신선이 사는 곳이요, 저 멀리 아득하게 보이는 아
파트는 중생들이 세파에 시달리는 속세라고 느꼈다.
 두타산의 높이는 1,353m이다. 산 이름 두타는 불교 용어로
속세의 번뇌를 버리고 불도 수행을 닦는다는 뜻이다. 이 산은
삼척·동해지방의 영적 모산으로 태백산맥의 주봉이다. 이 지
방 주민들은 예로부터 두타산의 정기를 받고 생활한다는 민
간신앙이 관습으로 내려오고 있다.
 어린 시절, 두타산 정상에 흰 눈이 내리면 겨울이 가까이
왔다고 믿었다. 흰 눈 내린 두타산을 신비롭게 바라보던 어린
시절이 아련하다. 날렵한 두타산 정상에서 그리 멀지 않은 곳
에 우람하고 묵직한 청옥산이 보였다. 청옥산은 두타산에서
3km에 달하는 능선으로 연결되어 있고 이 능선이 백두대간
과 태백산맥의 주능선이다. 해발이 두타산보다 51m 높은 산

으로 1,404m이며 부근에 청옥이란 약초가 있어 붙여진 이름이라 한다.

청옥산은 동해시 삼화동과 삼척시 하장면에 걸쳐있는 높은 산으로 삼척지방의 역사기록지, 삼척군지(誌)에 따르면 경복궁을 중수할 때 이곳의 소나무를 목재로 사용했으며 하장천에서 뗏목으로 한양까지 운반하였다고 기록되어 있다. 지금 내가 쓰는 블로그 별명 '청옥'은 이 청옥산에서 인용하였다.

청옥산을 멀리서 눈으로만 확인하고 두타산성 쪽으로 하산했다. 내려가는 길은 오르는 것보다 수월하지만 거리가 멀어서 은근히 힘들었다. 아늑하고 햇볕이 비추는 장소에 누워서 휴식을 취했다. 하늘을 바라보고 누님과 대화를 나누며 옛 추억을 회상해 보았다. 오늘 두타산 정상을 밟았다는 벅찬 감정도 서로 느끼는 듯했다.

잠시 휴식을 취하고 한참을 걸어서 두타산성에 도착했다. 눈앞에 펼쳐진 경치를 바라보니 기암괴석과 병풍같이 둘러싼 화강암 절벽이 장관이었다. 두타산성에서 1km 떨어진 두타산 삼화사 관음암이 정면으로 마주 보고 있다. 두타산성은 조선시대 1414년(태종 14)에 축성된 산성으로 천연적인 산의 험준함을 이용하여 성 쌓기를 한 곳으로 현재 두타산의 중턱에 부분적으로 남아 있다. 임진왜란 때, 이 지방의 젊은 의병들이 왜군과 치열한 전투가 이곳에서 벌어져 애통하게도 3일만에 함락되었다. 동해시에는 전천강이 시내를 관통하여 동해 바다로 흐른다. 임진왜란 때 의병들이 왜군과 싸우면서 화살

대가 강물 위에 흘렀다 하여 전천강(箭川江)이라 명명했다고
한다.

두타산성에서 무릉계곡 산책로까지 내려오는 길은 경사가
급했다. 산책로에 내려와 삼화사 방향으로 평지를 조금 걸으
니 학(鶴)이 둥지를 틀고 생활한다는 학소대가 보였다. 동골
에서 내려오는 물이 폭포를 이루어 학소대 폭포라고도 한다.
그곳에서 산책로를 따라 계곡의 맑은 물소리를 들으며 약 15
분을 걸어서 삼화사 천왕문 앞에 다다랐다.

삼화사(三和寺)는 642년(선덕여왕 11) 신라시대 자장이 당
나라에서 귀국하여 이곳에 절을 짓고 흑련대라 했다. 864년
범일국사가 절을 다시 지어 삼공암이라 했다가 고려 태조 때,
삼화사(三和寺)라 개칭했고 많은 부속암자를 지었다. 문화재는
신라시대의 철불, 삼층석탑 및 대사들의 비와 부도가 있다.
삼화사 아래에는 무릉반석이 넓게 펼쳐져 있고 무릉계곡에서
흘러내린 물이 넓고 흰 너럭바위 위를 흐른다. 천여 명이 앉
아 쉴 수 있는 큰 반석으로 예로부터 묵객들이 시를 짓고 그
림을 그리며 풍류를 즐겼던 곳이다.

무릉계곡은 호암소에서 용추폭포에 이르는 4km의 계곡
을 일컫는다. 조선 선조 때 삼척부사 김효원이 이름을 붙였다
고 전하며 신선이 노닐었다는 전설에 따라 '무릉도원'이라고
부르기도 한다. 이곳을 찾는 관광객은 무릉반석에서 삼화사를
지나 학소대, 선녀탕, 쌍폭, 용추폭포의 아름다운 경치를 산
책길을 걸으며 편하게 감상할 수 있다. 삼척 부사를 지낸 김
효손은 금강산 다음으로 아름다운 명소는 두타산 무릉계곡을

꼽았다.

무릉반석에는 매월당 김시습의 시와, 조선 전기 4대 명필, 양사언의 '武陵仙源 中臺泉石 頭陀洞天(무릉선원 중대천석 두타동천 / 신선들이 노닐던 이 세상의 별천지)'이라는 글도 음각되어 있다. 조선 후기 화가 김홍도는 금란정 정자 옆에서 무릉반석의 경치를 그렸으며 금강사군첩에 '무릉계(武陵溪)'그림이 실렸다.

무릉반석

금란정(金蘭亭) 아래 반석에는 강회계 창계회원들의 명단이 새겨져 있다. 이 고장의 유학자 홍정현(호 강암, 자 우팔)의 스승인 송병선(송시열의 9대손, 대사헌)이 1905년 을사보호조약이 체결되자 망국의 한을 참을 수 없어 음독 분사했는데, 이에 영동지방 선비들이 통분했다고 한다. 그래서 그 다음 해

1906년, 일본에 나라를 배앗기면 안 된다는 정신으로 이 고장에서 학식과 덕망이 있는 유학자 홍락섭, 홍정현, 홍재환이 주도해 강회계(講會契)를 조직하였고 창계동지 33인 명단을 무릉반석에 새겨놓은 것이다.

강회계 창계회원 명단

강암 홍정현(1875~1938년)은 나의 조부님이고 '강암유고'는 삼척시립박물관과 동해문화원에 보존되어 있다.

나는 무릉계곡을 올 때마다 무릉반석에 새겨진 할아버지 함자 '洪政鉉(홍정현)'을 물끄러미 바라본다. 한평생 벼슬 없이 유학자로서 제자를 가르치고 문집을 쓰시며 올곧게 생활하신 할아버지가 존경스럽다. 나는 강회계 창계회원을 기리며 언젠가 〈두타산 무릉계곡에서〉라는 시를 지은 적이 있다.

두타산 무릉계곡에서

미녀가 파도를 밟으며
사뿐사뿐 걸어가는 추암 해변
아침해는 솟아올라 두타산을 깨웁니다

해는 호암소(虎岩沼) 넘고
어느 시인의 시비(詩碑)를 지나
너럭바위 얼굴을 환하게 비춥니다

하늘문 꽃향기 계곡 따라 흐르고
삼화사 범종 소리 천지를 울릴 때
유불도(儒佛道) 신선들 그 향기 흠향하고
너럭바위에 내려옵니다
무릉반석에 감도는 강회계(講會契) 정신,
두타산성 솔잎처럼 푸르고 푸르며
밤하늘 별빛같이 찬란합니다

호랑이가 소에 빠져 죽었다는 전설이 내려오는 호암소(虎岩沼)를 넘어 동해시 무릉계곡 매표소 입구로 나왔다. 해는 어느덧 두타산 능선으로 붉은 저녁노을을 토하며 기울기 시작했다. 오늘은 두타산에서 신선처럼 하루를 보냈다. 몸은 피곤했지만 고향의 영산, 두타산 정상에 다녀왔다는 사실이 흐뭇하

고 자랑스러웠다. 오늘 아침, 옛 추억을 회상하면서 마음 속
으로 두타산을 또 한 번 걸었다.

　내 고향에 눈 내린 행복한 성탄절 아침이다.

양재천에서

해는 서산에 기울고

시냇물은 바다로 향해 흐르는데

그대는 하릴없이 양재천을 서성인다

강암 선생 금강산 유람기

마을 어귀는 속세를 향해 문을 열지 않았는데

  (洞門不向世塵開 동문불향세진개)

소나무는 세 갈래 차이로 돌길을 돌았네

  (松樹參差石遷回 송수참차석경회)

벽안도사는 어느 날 어디에서 건넜던가

  (碧眼大師何日渡 벽안대사하일도)

백두산록의 넘치는 숲은 언제 이곳에 왔는가

  (白頭餘鹿此山來 백두여록차산래)

늙은 바위는 떨어지듯 위태로이 걸려 있고

  (老岩欲墜還危立 노암욕추환위립)

영묘한 약초 많고 기름져 가꿀 필요가 없구나

(靈草多肥不待培 영초다비불대배)

이제 흐르는 용소물은 몇 리나 가서 만날까

(今去龍淵會幾里 금거룡연회기리)

빗속에 공연히 사람마저 재촉 하누나.

(雨中空望使人催 우중공망사인회)

　강암(剛菴) 홍정현(洪政鉉) 선생이 금강산을 유람할 때 신계사에서 머무르며 지은 시다. 한말 순종 1년 무신(1908년)에 강회계 창계원 일행이 천하명산 금강산을 유람하였으니 이는 강회계가 창계된 지 3년이 지난 후의 일이었다. 여정은 총석정, 신계사를 시작으로 천혜의 절경인 구룡연, 만물상과 산사의 정계 정안사를 경유하여 영원동, 교훈사, 정양사와 만복동을 지나 마개연에 이르렀다. 그리고 은선대를 거쳐 유정사를 둘러보고 해상공원으로 유명한 삼일포, 해금강 유람을 마치고 고성 양양을 지나 강릉을 거쳐 환양한 기행문이다.

　이는 약 100년 전의 유산기임을 고찰할 때 창계원들의 탁월한 식견과 넘치는 역량에 경탄을 금할 수 없다. 또한 불편한 교통 및 험난한 행로와 불규칙한 숙식 등에도 불구하고 한 달 여일에 걸쳐 유람하였으니 창계원의 유유 자적한 인품을 성찰해 볼 만하다. 아름다운 명승지를 유람하면서 선경을 만끽하고 그 감회와 심금을 글과 시로 써 읊으니 참으로 선비다운 심상이요, 풍월도인으로서의 삶이었다. 이 유람기는

강암 홍정현 문집과 강암유고를 번역하였음을 밝혀둔다. (출처 : 강회문유백년사 2006년)

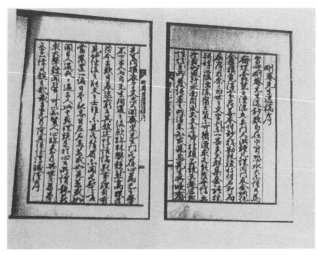
강암유고

강암 선생의 금강산 유람기 중 구룡연을 유람하고 신계사로 돌아온 기록은 다음과 같다.

"병진일에 처음으로 비가 그치고 구름도 점차 걷혔다. 한 스님에게 부탁한 밥과 술을 싸서 구룡련 계곡으로 향해 몇 리를 들어가니 연못은 얕고 암석은 거무스름하여 별 감흥을 느끼지 못했다. 오선대, 일광대, 앙주대를 둘러보고 연주담을 지나 금강문에 도착했다. 큰 돌에 구멍이 나있어 자연스럽게 문을 이루고 있었다. 따라서 수십 보 들어가니 길이 나오는데 길은 험했지만 경치는 아름답고 기이하였다. 손으로 쇠줄을 잡고 발로 바위 틈을 밟으며 앞뒤를 돌아보니 위험하기 그지없었다.

옥룡관을 지나다 보니 애석하게도 구멍이 뚫려 집 처마가 날아갈 것 같이 보였다. 옛날 동백선화 때, 이곳에서 비를 피했다는 연유로 '감사굴'이라 이름을 붙였다고 한다. 안으로는 '남당봉암병계석문산수헌'이라 새겨져 있고, '송계'라고 명명했다. 나아가자 옥류동에는 흰 바위가 입을 벌려 누웠고, 청정한 폭포가 숨어 있다가 나오는 것처럼 세차게 솟아오르니 범상한 경치가 아니던가!

천화대를 지나 우러러보니 나는 듯 춤추는 봉황이요, 양폭 위에 신기한 물줄기가 하류와 합류하여 뿜으니, 백설이 되고, 흘러내려 연못이 되어 달리고 날아오르며 구르니 완연히 쌍봉이 춤추며 나는 형상이라.

서쪽으로 꺾어 들어가, 진주담, 구룡담, 구룡동담, 연교는 구룡연에 닿아 시냇물이 흐르는 하류까지 돌아보고 바위에 올라 양봉을 바라보니, 물은 밑으로 오목 파인 웅덩이까지 따라 거꾸로 흘러간다. 넓이가 십여 척이요 길이는 3백 척이나 되는 상류는 가마솥 같고, 쌓인 물이 중간에 일층을 이루고 바위 모서리에 부딪혀 급류하여 튀는 것이 구슬 같고, 유유히 흐르는 물은 비단을 걸어 놓은 것 같았으며, 떨어지는 돌이 굴러서 계단을 이루었다.

산봉우리 정상에는 팔담이 있으니 아울러 구룡연이 되었다.

노호하는 연못의 발원지는 비로봉이나 사람들은 이를 보지 않고 지나친다. 그 웅장한 기세와 호탕한 형상은 옛날 항우장 사가 호령하고 질타하여 단숨에 군사를 장악하는 것 같아, 천하의 무쌍함이 두렵도다.

연못가의 돌 위에 '천장백련 만곡진주'라 크게 새겨져 있고 노숙한 폭포수는 중간으로 흐르며 사람들을 현혹한다. 우암 선생이 노폭 아래 여덟 자를 쓰니 회암 주부자께서 여산기를 쓰는 것과 같도다. 와룡포 곁에 산재를 세우고 '연동'이라 이름 지었다. 또 바위 벼랑에 '미륵불'이란 글씨가 새겨져 있다. '佛'자의 길이가 40척이나 되니, 이는 해강 김규진의 필체라!"

옛적, 교통이 불편하고 필기도구는 붓과 벼루가 고작이었을 텐데, 꼼꼼히 기록하신 할아버지의 인품과 마음의 여유를 생각하면 마음이 숙연하다.

할아버지는 삼척군 북평의 송정(현 동해시)에서 태어나 그곳에서 평생을 보내셨다. 북평이란 곳은 수려한 두타산과 청옥산이 둘러싸고, 앞으로는 동해의 넓고 푸른 바다가 시원하게 펼쳐져 있다. 더욱이 솔숲이 우거지고 아늑한 호수와 비옥한 토지 덕분에 농경을 하면서도 선조의 뜻을 이어서 학문을 정진할 수 있는 마을이었다. 그곳에서 태어난 여러 사람이 나라에 충성하였으며 부모에게는 효도하여 효자비와 충효비가 세워졌다. 그리고 송정(松亭)이란 지명에서 짐작할 수 있듯이 경치가 좋은 곳에 정자가 세워졌으며 선비들이 이곳에 모여

시를 짓고 풍류를 즐겼던 곳이다.

　한시대의 격랑 속에서 벼슬 없이 유학자로 평생을 제자를
가르치고 이웃을 돌보며 올곧게 생활하신 할아버지가 존경스
럽다. 나는 가끔 두타산 아래, 넓게 펼쳐진 무릉반석에 찾아
가 그곳에 기개 있게 새겨진 할아버지 함자 洪政鉉(홍정현)을
바라보면 그분의 혼이 아직도 서려있는 듯하다.

양재천은 오늘도 흐른다

오늘은 무더위가 한풀 꺽인다는 처서(處暑)다. 요즘은 제법 시원한 바람이 분다. 높고 새파란 하늘에는 뭉게구름이 떠가고, 양재천에 쏟아지는 햇살이 한층 엷어졌다. 공원 벤치에 앉아, 오늘도 고요히 흐르는 양재천을 바라보니 노자의 '상선약수(上善若水)'라는 말이 떠올랐다. 이 말은 최고의 선(善)이 물과 같다는 뜻으로 무위 사상을 물에 비유한 것이다.

노자는 인간이 흐르는 물처럼 지혜가 필요하다고 이렇게 말했다.

"인간은 남과 앞다투며 높은 곳에 오르려고 애쓰지만, 물은 서로 다투지 않고, 남들이 싫어하는 낮은 곳으로 겸허히 흘러간다. 물은 깊고 고요하다. 깊은 수면은 겉으로 아무 흔적이 없지만 내면의 깊이는 이루 헤아릴 수 없다. 물은 어질고 사랑할 줄 안다. 언제나 물은 베풀고 두루 사랑하며 보답을 바라지 않는다."

노자는 흐르는 물을 바라보면서 고집과 자존심으로 불협화음을 만드는 사람과 물의 성질을 비교해 보니 사람이 물보다도 더 어리석게 보이고, 남을 조금만 도와주고도 이를 과장해 자랑을 해대는 사람의 모습을 떠올렸다고 한다.

송사(宋史)의 소식전(蘇軾傳)에는 '행운유수 초무정질(行雲流水 初無定質)'이란 말이 있다. 즉 떠가는 구름과 흐르는 물은 애초에 정해진 바탕이 없다는 뜻이다. 누구도 바다의 고향을 묻지 않는다. 바다의 고향은 강, 개천과 계곡이었다. 그런데 바다에게 이것이 무슨 의미가 있겠는가? 인간도 떠가는 구름과 흐르는 시냇물처럼 수명이 다할 때까지 인생길을 걷는다. 인생길 역시 정해진 것은 없다. 오직 자신이 길을 만들고 날아가는 새가 뒤를 돌아보지 않는 것처럼 앞만 보며 묵묵히 걸어갈 뿐이다.

20세기 미국 문학의 대표 시인 로버트 프로스트(Robert Frost)의 시, '가지 않은 길(The Road not Taken)'에 다음과 같은 구절이 있다.

"노란 숲속에 두 갈래 길이 있습니다. 나는 두 길을 다 가지 못하는 것을 안타깝게 생각하면서 오랫동안 한참을 서서 낮은 숲으로 꺾여 내려가는 길을 끝까지 바라보았습니다.

그리고 다른 길을 선택했습니다. 똑같이 아름답고 아마 더 걸어야 될 길이라고 생각했지요. 풀이 무성하고 발길을 부르는 듯했으니까요. 그 길도 걷다 보면 지나간 자취가 두 길을 거의 같도록 하겠지만요."

이 시는 삶에 대한 희구(希求)이자 인생행로에 대한 회고다. 화자(話者)는 자신이 선택한 길 때문에 모든 것이 달라졌다고 회상한다. 즉 자신이 가지 않는 길을 쳐다보며 미련과 아쉬움을 나타내고 있다.

인간은 자신이 스스로 선택한 길에도 후회와 미련이 있을 수 있다. 하지만 길이 주인이 아니고 내가 길의 주인이므로 스스로 선택한 길을 후회 없이 잘 살아가야만 한다. 쉬지 않고 흐르던 강물이 바다에 다다르면 멈추듯, 인간도 행운유수처럼 살다가 바람속에 먼지처럼 저세상으로 떠날 것이다.

오늘은 매미가 떼로 요란하게 울지 않고, 한 마리씩 애처롭게 운다. 아직도 짝을 찾지 못한 수컷 매미가 죽을힘을 다해 우는 것이라 생각한다. 지난 6년 동안 땅속에서 인고(忍苦)의 세월을 보내고 한 달 정도 행운유수처럼 살았으나 삶이 덧없고 허무하다고 서럽게 우는 것 같다.

지금까지 내가 걸어온 길이 옳은 길인지 앞으로 남은 인생길은 어떻게 걸어가야 하는지 오늘도 無心히 흐르는 양재천에게 묻고 또 물어 본다.

퇴고와 인생

오늘은 〈수수문학〉 제11집 원고를 퇴고하는 날이라 심 작가와 함께 일산에 있는 Y 출판사로 향했다.

퇴고(推敲)는 초고를 바탕으로 수정 보완하고 정리하는 작업을 의미한다. 집필자를 기준으로 보면 마지막 단계에 해당하지만 편집자를 기준으로 보면 기초 단계로 볼 수 있고, 퇴고가 이루어지는 과정에서 집필자와 편집자 간에 꾸준한 의견 교환이 이루어지는 것이 보통이다. 퇴고를 꼼꼼하게 하는 것은 좋은 글을 만드는 기본 요건에 해당되기에, 초고 작성 못지않게 중요한 과정이라고 본다.

옛적, 당나라 시인 가도(賈島, 779~843년)가 말을 타고 길을 가다가 문득 좋은 시상(詩想)이 떠올라서 즉시 정리해 보았다. 제목은 '이응(李凝)의 유거(幽居)에 제(題)함'으로 정하고, 다음과 같이 초(草)를 잡았다.

閑居少隣竝(한거소린병) 이웃이 드물어 한적한 집
草徑入荒園(초경입황원) 풀이 자란 좁은 길은 거친 뜰로 이어져 있다.

鳥宿池邊樹(조숙지변수) 새는 못 가의 나무에 깃들고
僧敲月下門(승고월하문) 스님이 달 아래 문을 두드린다.

그런데 초를 잡고 나니 결구(結句)를 민다(퇴推)로 해야 할
지, 두드리다(고敲)로 해야 할지 이리저리 궁리하며 가다가
자신을 향해 오는 고관의 행차와 부딪혔다. 그 고관은 당송팔
대가(唐宋八大家)로 부현지사(副縣知事)인 한유(韓愈, 768~824)
였다.

가도는 먼저 길을 피하지 못한 까닭을 말하고 사과했다. 역
시 대문장가인 한유는 뜻밖에 만난 시인의 말을 듣고 꾸짖기
를 잊어버리고 잠시 생각하더니 이윽고 말했다. "내 생각엔 '
두드리다'가 좋을 듯하네." 이후 이들은 둘도 없는 시우(詩友)
가 되었고 여기에서 '퇴고'라는 말이 생겨났다고 한다.

문학작가에게는 퇴고가 필수적인 과정이다. 자신이 쓴 글이
맞춤법에 맞는지, 사실 관계가 맞는지, 문장이 이상하지 않은
지 꼼꼼히 살펴봐야 하며, 작가가 완전히 맞췄다고 생각했는
데도 편집부에서 다시 교정하는 일도 빈번하다.

퇴고를 산통에 비유하는 작가도 있다. 이런 노고가 있기 때
문에 좋은 작품이 꾸준히 나오고 명작이 만들어지는 것이다.
어떤 작가는 퇴고가 끝난 뒤 영혼이 소각당하는 느낌이 들었
다는 이야기를 할 정도로 토나오게 해야 한다고 해서 '토고'
라고도 한다.

글은 쓰면 쓰면 쓸수록 퇴고의 중요성과 그 위력을 알게 된다. 완벽한 글은 존재할 수 없기 때문에 여러 번 고쳐도 부족하다는 아쉬움을 느낀다. 그렇지만 탈고를 하면서 인내와 겸손이 좋은 글을 만드는데 큰 도움이 된다는 것을 새삼 깨달게 된다.

글을 쓸 때 퇴고가 필요한 것처럼 인생에도 퇴고라는 과정을 통해 오류를 제거하고 正道를 찾아서 보다 쉽게 인생의 목표를 달성할 수도 있다.

미국문학의 대표 시인, 로버트 프로스트는 "부족한 것을 채워가는 것이 행복이다."라고 말했다. 누구나 완벽한 인생을 산다는 것은 불가능하다. 하지만 삶에서 틀린 곳을 수시로 찾아서 반성하고 겸허한 자세로 살아간다면 부족한 것이 채워질 것으로 믿는다.

심 작가와 퇴고의 중요성과 이런저런 대화를 나눌 때 "이번 역은 화정 화정역입니다. 내리실 문은 왼쪽입니다."라고 지하철 안내방송이 나왔다. 아뿔싸! 우리가 내려야 할 곳이 원흥역인데 이미 두 역이나 지나쳤다. 허겁지겁 화정역을 내리면서 우리가 퇴고에 너무 빠졌나 하는 생각이 들어서 겸연쩍은 미소가 입가에 흘렀다.

아내의 무덤

아내의 무덤 / 김상기

겨울 눈밭에 내가 서 있다
손발보다 가슴이 더 시리다

새봄이 또 와도
기다리는 사람은 돌아오지 않는다

여름 소나기가 하늘 무너진 듯 울고 간다
내 눈물은 아직 다하지 않았다

가을 마른 잔디 위로 빈 바람이 흩어진다
내 영혼도 부서진다

허깨비 같은 내가
하릴없이 무덤가를 서성인다
오래지 않기를 바란다
우리가 한 줌 흙으로 다시 만날 날이

김상기 시인이 쓴 시로 2011년 12월에 발간한 시집 '아내의 묘비명'에 수록되어 있다. 이 시집 서문에 유수일 주교님이 이렇게 말했다.

"소화 데레사 자매는 참으로 깊은 신앙심과 아름다운 마음씨를 지닌 보기 드문 사람이었다. 데레사 자매가 오랜 암투병 끝에 세상을 떠났을 때, 나는 공원묘지까지 동행해 장례 미사를 집전하면서 마치 한 성녀(聖女)를 떠나보내는 듯한 느낌을 가졌다.

헌신적인 아내였고 두 아들의 더없이 좋은 어머니였던 데레사 자매는 지금 천국에서 남편과 두 아들을 위해 기도 하고 있으리라 생각된다."

김상기 시인은 MBC에 기자로 입사해 보도국장을 거쳐 그의 고향, 대전MBC 사장을 역임했다. 대학 시절, 동아리에서 시를 쓰기 시작했으며, 대학원을 다닐 때 '어두운 세상'이란 시를 대학 신문에 발표한 적이 있다. 26살 때에는 '젊은 기자의 초상'이란 시를 마지막으로 쓰고, 30년 동안 시를 쓰지 않았지만 아내가 암으로 투병 생활을 시작할 때부터 다시 썼다.

황인숙 시인은 2014년 6월 모 일간지에 이 시집을 읽은 소감을 다음과 같이 말했다.

"한 사람을 깊이 사랑하는 사람이 다른 이들도 더 잘 사랑하고, 더 많이 사랑한다는 것을 알 수 있다. 그 사랑의 힘으로 시인의 '남은 삶과 꿈'이 노래가 되기를! 결혼은 보험이나 계약으로 생각하는 젊은 세대에게는 이런 부부애가 신화처럼 느껴질 테다"

아내가 세상을 떠나고 몇 년 후, 시인도 암으로 4년 동안 투병 생활을 하였으나 결국, 2015년 여름에 그의 시처럼 사랑하는 아내와 한 줌의 흙으로 만나게 되었다.

나는 시인과 동서지간으로, 20여 년을 친형제처럼 가깝게 지냈다. 시인 부부와 함께 보낸 추억을 회상해 본다.

시인의 아내, 소화 데레사는 성격이 명랑하고 얼굴에는 언제나 미소를 머금었다. 특히 자식교육은 지극정성이었으며 자식들은 모두 어머니 마음을 헤아리고 열심히 공부했다. 자식들이 대학교에 입학하고 몇 년 후, 암으로 5년간 투병 생활을 했다.

데레사는 세상을 떠나기 얼마 전, 내 고향, 즉 제부의 고향에 가보고 싶어 했다. 나는 처형의 마음을 충분히 헤아리고 어느날, 시인 부부와 함께 강원도 동해안 내 고향으로 갔다. 내가 어릴 시절에 놀았던 동네와 성내동 성당을 둘러보고, 경치가 좋은 환선굴로 갔다. 소화 데레사는 동굴 구경이 힘들었지만 내색하지 않고, 애써 즐거운 표정을 지어 보였다. 그리고 넓고 푸른 경포대 바다를 바라보고 소풍 온 어린이처럼 마냥 즐거워했다. 이 외출이 데레사와의 마지막 여행이 되었다.

데레사가 세상을 떠나자 시인은 홀로 남게 되었으며 자식들은 공부에 쫓겨 바쁘게 생활했다. 양재천을 혼자 걷는 것이 그의 일상이자 유일한 낙이었다. 가끔 나와 같이 식사를 할 때 인간의 복잡한 세상사를 논했다.

어느 날, 시인은 나에게 분당에 있는 대학 병원에 데려 달라는 부탁을 했다. 건강이 급격하게 악화되고 있다는 사실을 직감하고, 즉시 병원으로 달려갔다. 그리고 약 보름 후, 시인의 아들로부터 아버지가 위독하다는 전화 연락을 받았다. 즉시 병원으로 갔지만, 시인은 이미 숨을 거두고 하늘나라로 떠나갔다. 가슴이 먹먹하고 하늘이 원망스러웠다. "하느님은 왜 착한 사람을 일찍 데려가실까?"라는 생각을 한번 더 하게 되었다.

김상기 시인은 클래식 음악감상을 좋아하고, 동양난을 오랫동안 길렀다. 불우이웃돕기 활동에도 적극적이었다. 특히, 유니세프와 모교인 대전고등학교 재학생돕기 일대일 결연 장학금 모금에 10년간 참여했다. 시인은 세상을 떠나기 4일 전, 대전고등학교 동창회에 급하게 전화를 한 다음, 휠체어를 타고 은행을 찾아가, 자신이 노후에 쓰려고 모았던 일억을 전액 모교에 기부했다. 그리고 그의 시처럼 한줌의 흙으로 아내를 만나게 된 것이다.

나는 가끔씩 아내와 함께 시인의 산소를 찾아가 성묘한다. 그리고 아내의 묘비명인 '연가'와 시인의 '비원(悲願)'이란 묘비명을 바라보면 인생이 덧없고 허무하다고 느낀다. 이 시인의 두 아들은 부모님의 지극한 사랑을 가슴에 새기며 올곧게 성장하여 첫째는 변호사로 활동하고, 둘째는 의사가 되어서 시인이 하늘나라로 떠났던 그 병원에서 환자를 돌보고 있다.

오늘도 하늘나라에서 가족을 위해 열심히 기도하고 있을 김 상기 시인과 부인, 소화 데레사께서 평안하시길 재차 빈다.